MW00776607

Alicia in Terrā Mīrābilī

Alicia in Terrā Mīrābilī

Librum composuit

Ludovīcus Carroll

Pictūrīs ōrnāvit

John Tenniel

Latīnē reddidit

Clive Harcourt Carruthers

2018

Ēdidit/*Published by* Evertype, 19A Corso Street, Dundee, DD2 1DR, Scōtia/*Scotland*. *www.evertype.com*.

Titulus vērus/*Original title*: *Alice's Adventures in Wonderland*.
Prīma ēditiō apud Prēlum Sānctī Martīnī Novī Eborācī, et Macmillan Londīnī, annō 1964°.
First published by St Martin's Press, New York, and Macmillan, London, 1964.

Secunda ēditiō Evertype. Prīma ēditiō 2011. ISBN 978-1-904808-69-5.
Second Evertype edition. First edition 2011. ISBN 978-1-904808-69-5.

Haec ēditiō/*This edition* © 2018 Michael Everson & Johan Winge.
Textus/*Text* © 1964–2018 Estate of Clive Harcourt Carruthers.
"In fābulam Aliciae prooemium" © 2011 Stephen Coombs.
"Dē fābulā inceptā" © 2011 Anthony Collins.
"Carmen in praefātiōnem Aliciae" © 2011 Brad Walton.
"Pater Villus" by Hubert Digby Watson.
"Canticum Ducissae" by Henry Charles Finch Mason.
"An overlooked Latin version of 'The Duchess' Song'" © 1994 August A. Imholtz, Jr.
"In search of Alice's brother's Latin Grammar" © 1975 Selwyn H. Goodacre.

Recēnsuit Jōhannēs Ālātius.
Edited by Johan Winge.

Omnia proprietātis jūra reservantur. Nōn licet ūllam hujus ēditiōnis partem neque reddere, nec condere in īnfōrmātiōnis inquīrendī systēmate, nec trānsmittere quāquam fōrmā ratiōneque, neque ēlectronicē, nec mēchanicē, nec phōtographicē, nec per incīsiōnem sonī, neque quōquam aliō modō, nisi prius venia litterīs mandāta ab Ēditōre data est, praeterquam quod lēge dēfīnītē concessum est, vel secundum condiciōnēs quae cum jūstō corpore quod jūra multiplicandī ministrat pactae sunt.
All rights reserved. No part of this publication may be reproduced, stored in a retrieval system, or transmitted, in any form or by any means, electronic, mechanical, photocopying, recording, or otherwise, without the prior permission in writing of the Publisher, or as expressly permitted by law, or under terms agreed with the appropriate reprographics rights organization.

Schedula bibliographica hujus librī in Bibliothēcā Britannicā reperītur.
A catalogue record for this book is available from the British Library.

ISBN-10 1-78201-232-X (tegmine flexibilī)
ISBN-13 978-1-78201-232-0 (*paperback*)

ISBN-10 1-78201-233-8 (tegmine dūrō)
ISBN-13 978-1-78201-233-7 (*hardcover*)

Typīs De Vinne Text, Mona Lisa, ENGRAVERS' ROMAN, Liberty composuit Mīchaēl Eversōnus.
Typeset in De Vinne Text, Mona Lisa, ENGRAVERS' ROMAN, *and* Liberty *by* Michael Everson.

Imāginēs dēlīneāvit/*Illustrations by* John Tenniel, 1865.

Integumentum/*Cover*: Michael Everson.

Prēlō excūdit/*Printed by* LightningSource.

Praefātiō

Haec nova ēditiō fābulae *Alicia in Terrā Mīrābilī* ā Clive Harcourt Carruthers versae eō differt ab ēditiōne annō 2011ō ab Evertype ēditā, quod aliqua menda corrēximus.

Prīmō locō commemorandum est nōs frequēns mendum grammaticāle ēmendāvisse, cum Carruthers perperam verbīs passīvīs tempore praeteritō perfectō (i.e. *est* vel *sunt* cum participiō perfectō) ūsus esset ad praeteritum statum sīve praecēdentis āctiōnis ēventum dēscrībendum. Melius enim Latīnē tālibus in locīs tempus imperfectum (*erat* vel *erant*) adhibētur, cum participiō perfectō vim adjectīvī habente. Hanc ob causam mūtāvimus *alligātus est* in *alligātus erat* (p. 13), *scrīptum est* in *scrīptum erat* (bis p. 13), *notāta sunt* in *notāta erant* (p. 14), *sita est* in *sita erat* (pp. 20, 66, 76, 80), *incīsum est* in *incīsum erat* (p. 34), *oblīta est* in *oblīta erat* (p. 36), *figūrāta sunt* in *figūrāta erant* (p. 64), *opertum est* in *opertum erat* (p. 64), *compressī sunt* in *compressī erant* (p. 66), *exōrnātī sunt* in *exōrnātī erant* (p. 78), *obscūrātum est* in *obscūrātum erat* (p. 86), *relictī sunt* in *relictī erant* (p. 91), *perscrīptum est* in *perscrīptum erat* (p. 95), *facta est* in *facta erat* (p. 120), *factus est* in *factus erat* (p. 120).

Similī ratiōne adductī sumus ut mūtārēmus *compressum est* in *comprimēbātur* (p. 51), propterеā quod jūdicāmus verba Anglica *was pressed* hōc in locō probābiliter sīc intelligenda esse, ut dēscrībant manentem potius quam perfectam āctiōnem.

Deinde (id quod fortasse minōris est mōmentī nārrāre), in aliquibus verbīs longitūdinēs aliquārum vōcālium corrēximus. Lēctōribus quī dē hīs rēbus cūrent referimus igitur nōs in ipsā fābulā *segnis* in *sēgnis* (p. 5), *festīvō* in *fēstīvō* (p. 5), *ollam* in *ōllam* (bis p. 9, p. 80), *jējūnum* in *jejūnum* (p. 15), *segniter* in *sēgniter* (pp. 19, 22), *amīsisset* in *āmīsisset* (p. 33), *astūtiās* in *āstūtiās* (p. 42), *dormitābat* in *dormītābat* (p. 74), *ollulam* in *ōllulam* (p. 74), *aliorsum* in *aliōrsum* (p. 81), *ēvāserunt* in *ēvāsērunt* (p. 102), *inepta speciē* in *ineptā speciē* (p. 108), *olla* in *ōlla* (p. 156) mūtāvisse.

Ad extrēmum, ut nē minimum quidem omittātur, adjicimus exiguum interpungendī mendum corrēctum esse, *comprehendit" Alicia* in *comprehendit," Alicia* mūtātō (p. 22).

Nōnnūllīs hominibus poscentibus ēditiōnem bilinguem quoque in lūcem ēdidimus, ISBN 978-1-78201-212-2.

Mīchaēl Eversōnus	Jōhannēs Ālātius
Taodūnī	Gothoburgī

Mēnse Octobrī annō 2018°

Foreword

This new edition of Clive Harcourt Carruthers' *Alicia in Terra Mīrābilī* differs from the edition published by Evertype in 2011 in that it makes a few corrections.

The main thing worth mentioning is that we have amended a recurring grammatical error, where Carruthers mistakenly used the Latin passive perfect (that is, the past participle followed by *est* or *sunt*) to describe a past state or the result of a preceding action. In these cases, the normal way in Latin would be to use the imperfect *erat* (or *erant* etc.) together with the past participle, functioning as an adjective. Because of this, we have replaced *alligātus est* by *alligātus erat* (p. 13), *scrīptum est* by *scrīptum erat* (twice p. 13), *notāta sunt* by *notāta erant* (p. 14), *sita est* by *sita erat* (pp. 20, 66, 76, 80), *incīsum est* by *incīsum erat* (p. 34), *oblīta est* by *oblīta erat* (p. 36), *figūrāta sunt* by *figūrāta erant* (p. 64), *opertum est* by *opertum erat* (p. 64), *compressī sunt* by *compressī erant* (p. 66), *exōrnātī sunt* by *exōrnātī erant* (p. 78), *obscūrātum est* by *obscūrātum erat* (p. 86), *relictī sunt* by *relictī erant* (p. 91), *perscrīptum est* by *perscrīptum erat* (p. 95), *facta est* by *facta erat* (p. 120), and *factus est* by *factus erat* (p. 120).

A similar consideration made us change *compressum est* to *comprimēbātur* (p. 51), seeing that the most relevant interpretation is that the original English *was pressed* in this context describes an ongoing rather than completed action.

Of lesser interest to most would be the alterations made to vowel quantity in a number of words. For what it is worth, these are the replacements done in the main text: *segnis* by *sēgnis* (p. 5), *festīvō* by *fēstīvō* (p. 5), *ollam* by *ōllam* (twice p. 9, p. 80), *jējūnum* by *jejūnum* (p. 15), *segniter* by *sēgniter* (pp. 19, 22), *amīsisset* by *āmīsisset* (p. 33), *astūtiās* by *āstūtiās* (p. 42), *dormitābat* by *dormītābat* (p. 74), *ollulam* by *ōllulam* (p. 74), *aliorsum* by *aliōrsum* (p. 81), *ēvāserunt* by *ēvāsērunt* (p. 102), *inepta speciē* by *ineptā speciē* (p. 108), and *olla* by *ōlla* (p. 156).

Finally, we can mention a trivial punctuation correction, replacing *comprehendit" Alicia* by *comprehendit," Alicia* (p. 22).

Following a number of requests for a bilingual edition we have made such a version available, ISBN 978-1-78201-212-2.

Michael Everson	Johan Winge
Dundee	Gothenburg

October 2018

Praefātiō
annī $2011^{\bar{\imath}}$ ēditiōnis

Ludovīcus Carroll est nōmen fictīcium scrīptōris Carolī Lutwitgī Dodgsōnī, professōris mathēmaticae in Aede Chrīstī Oxoniae. Fābulae initium fēcit diē $4^{\bar{o}}$ mēnsis Jūliī annō $1862^{\bar{o}}$ dum in Tamesī fluviō animī causā rēmigat ūnā cum reverendō virō Robinson Duckworth, cumque Aliciā Liddell (decem annōs nātā), fīliā Decānī Aedis Chrīstī, ejusque duābus sorōribus, Lōrīnā (tredecim annōs nātā) et Ēditā (octō annōs nātā). Dodgsōnus (id quod satis appāret ex poēmate in prīmō librō) ā puellīs rogātus ut aliquid narrāret, quamquam prīmō invītus, fābulae tamen līneāmenta cōnfingere coepit. Per fābulam perfectam, annō $1865^{\bar{o}}$ tandem ēditam, saepe ad hōs quīnque subobscūrē allūdit.

Hōc in librō offertur lēctōrī nova ēditiō fābulae *Alicia in Terrā Mīrābilī* in Latīnum annō $1964^{\bar{o}}$ ā Clive Harcourt Carruthers conversae. Differt ā prīmā ēditiōne duābus praecipuīs rēbus: cum quod discrīmen nunc servātur inter *i* litteram vōcālem et *j* litteram vim cōnsonantis habentem, tum quod omnēs vōcālēs longae sunt līneolīs superscrīptīs ōrnātae. Complūribus linguae Latīnae fautōribus cōnsultīs placuit sīc scrīptūram mūtāre. Scīlicet, ut in omnibus rēbus hūmānīs, quot hominēs, tot ferē dē orthographiā sententiae. Quamquam plērīque cōnsultōrum favēbant tālibus līneolīs, nōnnumquam monitum est eās nōn nisi in librīs in ūsum tīrōnum scrīptīs adhibendās esse. Jūdicāvimus autem eōs lēctōrēs, quibus opus nōn sit longīs vōcālibus līneolīs distīnctīs, hās notās praetermittere posse; eārum tamen praesentiam saepe nōn modo tīrōnibus auxiliō fore sed interdum etiam perītiōribus lēctōribus.

Vōcālēs longās nōn imprīmīs idcircō līneolīs distīnximus, quō facilius scandantur versūs librī. Immō, Carruthers metra antīqua nōn adhibuit, nisi in carmine "*Ut caudam crocodīlus*", versibus hendecasyllabīs compositō, atque in carmine elegiacō "*Grandis es aevō, pater Gulielme*": cēterīs in poēmatibus imitātus est exemplōrum Anglicōrum metra, quae nōn pendent ex syllabārum longitūdinibus. Eā potius causā vōcālēs longās ac brevēs distīnximus, quod quam plūrimum volumus adjuvāre lēctōrēs vōce legentēs. Vidēlicet, praecipuē eīs magnum adjūmentum erit, quī prōnūntiātuī restitūtō faveant, sed spērāmus hoc etiam lēctōribus quōlibet prōnūntiātū ūtentibus auxiliō fore, quod ad syllabās rēctē acuendās pertinet.

In hāc ēditiōne ēdendā, omnium vōcālium longitūdinēs dīligenter exquīsītae sunt, etiam in syllabīs positiōne longīs. In pauciōribus syllabīs, quārum vōcālium longitūdinēs aut nunc incertae sunt, aut manifestē etiam antīquīs temporibus vacillābant, vōcālēs sine līneolīs scrīptae sunt, velut in prīmā quāque syllabā vocābulōrum *usque, juxtā, narrō*, necnōn in verbōrum temporālium exitibus tempore futūrō perfectō.

Vocābula et nōmina postclassica sunt speciāliter cōnsīderanda. Nisi etymologia et poētae sine repugnantiā dubiōque monent vōcālēs longās esse, eās sine līneolīs scrīpsimus. Licet, exemplī grātiā, Thomās Mōrus (1478–1535) scrīpserit *Ālĭcĭae* in epitaphiō uxōrī,[1] ad hoc tamen fortasse coāctus est, cum

1 *Chāra Thomae jacet hīc Jōanna uxorcula Mōrī*
quī tumulum Āliciae hunc dēstino, quīque mihī....
(MacDiarmid 1820, p. 335.)

hoc nōmen omnibus syllabīs brevibus in versū dactylicō pōnī nōn possit. Haec est causa cūr adhibuerit Antōnius Collins fōrmam *Ălĭcĭă* in suā praefātiōnis poēticae versiōne (p. 127); hōc exceptō vīsum est per hunc librum semper *Alicia* sine līneolīs scrībere.

Carruthers ipse distinguēbat inter *u* et *v* litterās, neque tamen inter *i* et *j*. Aliquot ex hominibus ā nōbīs cōnsultīs, quibus lingua Anglica est paterna, dīxērunt *j* litteram in locō sonī [j] sibi displicēre, quia eīs potius [dʒ] significāret. Duōbus tamen argūmentīs statuimus *j* litteram adhibēre: prīmum, distīnctiō in scrībendō inter *i* vōcālem et *j* cōnsonantem nōn dissimilis est hodiernae *u* et *v* litterārum distīnctiōnī, quae eandem nātūram eandemque aetāte renāscentiae orīginem habet. Quamobrem nōn est cūr *j* littera contemnātur, cum discrīmen inter *u* et *v* probētur; potius autem quam *v* litteram omittere, placuit nōbīs majōrem litterārum perspicuitātem servāre. Deinde exīstimāmus *j* litteram pāginīs hujus librī idōneam speciem praebēre, quandōquidem haec littera annō 1865[o], quō Aliciae fābula scrīpta est, in librīs Latīnīs nōn inūsitāta fuit, nē apud gentēs Anglicē quidem loquentēs.

Praeter haec, textus librī in aliquibus locīs mūtātus est, ut corrigerentur menda ā prīmae ēditiōnis exīstimātōribus inventa aut ab hujus librī ēditōribus reperta. Quōrum omnium mendōrum indicem hīc cūriōsīs lēctōribus praebēmus.

Prīmum referendum est aliqua adjectīva aliter atque in prīmā ēditiōne flectī. In fābulā enim Anglicā quaedam persōnae sunt marēs: Ērūca, Fēlēs Cestriāna, Testūdō Subditīva; Latīnē autem haec nōmina scīlicet sunt fēminīnī generis. Carruthers tamen sibi nōn cōnstābat, quī vōcēs nōminibus animālium adjectās interdum secundum ipsīus nōminis genus, interdum autem secundum sexum persōnae flecteret. Hōc in librō vīsum est versiōnem ad nōrmam redigere nōminumque generibus semper pārēre, quamobrem quīnquiēs scrīpsimus *domina* prō *domine* (bis p. 43, p. 45,

p. 50, p. 94), *bona* prō *bone* (p. 104), *gesticulāta* prō *gesticulātus* (bis p. 63), *locūta* prō *locūtus* (p. 94). Hūc accēdit *eōs nandō cōnsequiminī* (p. 98), cujus in locō posuimus *eās* (scīlicet *locustās*). Scrīpsimus autem *cum parvī essēmus* (p. 94) potius quam *cum parvae essēmus*: haud enim absurdē vidētur cōgitāre Testūdinem Subditīvam etiam Grȳpem, condiscipulum suum, in animō habuisse.

Pauca Ricardō T. Bruère prīmae ēditiōnis exīstimātōrī vīsa sunt mūtanda, cujus cōnsilium plērumque secūtī sumus. Cum vocābulum *porticus* propriē sit fēminīnī generis, verba *alter porticus longus* ... *eum* in *altera porticus longa* ... *eam* mūtāvimus (p. 10). In pāginā 23ā, ubi Alicia narrat dē pretiō aestimātō canis, adverbium supervacāneum *quotannīs* dēlētum est. Carruthers vocābulum Anglicum *guinea-pig* Latīnē reddidit vocābulō Neolatīnō *caviā*, praeterquam in Capitulō IVō "Cunīculus Indicem Immittit", quō locō legitur in prīmā ēditiōne stēlliō *duōbus leporibus* fultus esse; quod in verba *duābus caviīs* mūtāvimus (p. 40), ut magis cōnsentānea sibi sit trānslātiō. Dēnique, in pāginā 72ā verbum *vāsibus* in fōrmam ūsitātiōrem *vāsīs* mūtātum est.

Inter cētera menda quae corrēximus sunt *ostentandae* (p. 9) prō *ostendandae*, et *vestītū famulārī* (p. 54) prō *vestītū familiārī*. In pāginā 64ā scrīpsimus *quam mēnse Mārtiō erat*, ubi in prīmā ēditiōne scrīptum est *quam mēnse Mārtiō erit*. Verba *ab opprobriīs* quae Alicia dīcit in pāginā 67ā mūtāta sunt in *ā contumēliīs*, ut congruant cum superbō Petasivēnditōris respōnsō in pāginā 73ā. Quia *j* litteram ūsurpāvimus, licuit nōbīs restaurāre *hjckrrh* (p. 93), quod Carruthers in *hgckrrh* mūtāverat. Adnotātiō in īmā pāginā 107ā, ad pictūram in prīmō librō spectāns, addita est. In pāginā 110ā, sententia *eum ergō fūrātus es* mūtāta est in *eum ergō fūrātus est*: nam Rēx ad jūdicēs conversus nōn jam dēbet Petasivēnditōrem appellāre.

In duōbus verbīs ratiōnem scrībendī apud veterēs Rōmānōs ūsitātiōrem secūtī sumus: subjēcimus *sōlāciō* prō *sōlātiō* in pāginā 35ā, et *oboedīret* prō *obēdīret* in pāginā 58ā. Aliquot verba, quae propriē sunt dēpōnentia, ēmendāta sunt: substituimus *opperiēbātur* prō *opperiēbat* (p. 38), *opperīrī* prō *opperīre* (p. 40), *nīdulārī* prō *nīdulāre* (p. 52). Dēnique, nē ūlla inter ēditiōnēs differentia sit tacita, memorāmus aliqua pusilla scrīptūrae menda: *carmen* prō *carmem* (p. 71), *nam somnō* prō *name somnō* (p. 74), *quī ad hoc* prō *quid ad hoc* (p. 78).

In locīs quibus Ludovīcus Carroll litterīs inclīnātīs et signīs exclāmandī vim verbōrum auxerat, ea interdum restituimus. Dīvīsiōnēs paragraphōrum ad exemplum Ludovīcī Carroll restitūtae sunt. Ut omnēs *Aliciae* ēditiōnēs quae ex domū ēditōriā Evertype ēditae sunt, hic liber fōrmā speciēque ex parte assimilātus est Martīnī Gardiner librō *Annotated Alice*.

Praefātiōnem poēticam, quae Anglicē titulō "*All in the Golden Afternoon*" nōta est, in Latīnum nōn vertit Carruthers. Itaque mēnse Jūniō annō 2011ō rogāvimus aliquōs poētās Latīnē scrībentēs, num nōbīs hoc carmen vertere vellent, quōrum trēs, opere susceptō, suō quisque modō carmen Latīnīs verbīs vestiērunt. Interpretātiō trimetrīs iambicīs ā Stephanō Coombe composita, cui palma hujus imprōvīsī certāminis data est, in prīmō librō sub titulō "*In fābulam Aliciae prooemium*" invenītur. Ambae reliquae hujus carminis versiōnēs, Antōniī Collins "*Dē fābulā inceptā*" et Bradliī Waltōnī "*Carmen in praefātiōnem Aliciae*", post fābulam positae sunt, seriem appendicium incohantēs, quae nōn īnsunt in prīmā ēditiōne annō 1964ō ēditā. Post haec carmina sequitur "*Pater Villus*", conversiō poēmatis "*Father William*" ab Hubertō Digby Watson annō 1937ō cōnfecta. Proximum est "*Canticum Ducissae*" ab Henrīcō Carolō Finch Mason conversum, ūnā cum Augustī A. Imholtz minōris in eam versiōnem adnotātiōne. Ad extrēmum inveniuntur jūcundī commentāriī dē librō grammaticō, quem Alicia in Capitulō II° ūnā cum Mūre natāns recordātur, ab Selvīnō H. Goodacre et aliīs ad eum per litterās respondentibus cōnscrīptī.

In hāc novā ēditiōne glōssārium Latīnō-Anglicum in ultimō librō magnopere auctum est. Praeter ferē vīgintī Neolatīna vocābula locūtiōnēsque, ut in prīmā ēditiōne, hoc novum glōssārium etiam complectitur plūs ducenta vocābula antīqua tīrōnibus inūsitātiōria. Spērāmus fore ut glōssāriō auctō multō plūrēs lēctōrēs sine aliōrum lexicōrum ūsū ex hōc librō magnam capiant voluptātem.

Mīchaēl Eversōnus, Cahirnemarte
Jōhannēs Ālātius, Upsaliae

Mēnse Septembrī annō 2011°

Bruère, Richard T. 1965. "Review", in *Classical Philology*, vol. 60, n. 2 (m. Aprīlī a. 1965), pp. 149–150.

Gummere, John F. 1964. "Review", in *The Classical World*, vol. 58, n. 3 (m. Novembrī a. 1964), pp. 92–93.

MacDiarmid, John. 1820. *Lives of British Statesmen*. Vol. 1. Londīnī: Longman, Hurst, Rees, Orme, & Brown.

Schnur, Harry C. 1965. "Review", in *The Classical Journal*, vol. 60, n. 8 (m. Majō a. 1965), p. 378.

Foreword to the 2011 edition

Lewis Carroll is a pen-name: Charles Lutwidge Dodgson was the author's real name and he was lecturer in Mathematics in Christ Church, Oxford. Dodgson began the story on 4 July 1862, when he took a journey in a rowing boat on the river Thames in Oxford together with the Reverend Robinson Duckworth, with Alice Liddell (ten years of age) the daughter of the Dean of Christ Church, and with her two sisters, Lorina (thirteen years of age), and Edith (eight years of age). As is clear from the poem at the beginning of the book, the three girls asked Dodgson for a story and reluctantly at first he began to tell the first version of the story to them. There are many half-hidden references made to the five of them throughout the text of the book itself, which was published finally in 1865.

In this book we present a new edition of Clive Harcourt Carruthers' 1964 translation of *Alice* into Latin. It differs from Carruthers' original text chiefly in two ways: a regular distinction between the vowel *i* and the consonant *j* has been made, and long vowels are marked with macrons consistently throughout. These changes were made after some consultation with modern Latinists. Naturally, opinions differ about these orthographic practices: while a large majority was in favour of the use of macrons, a common reservation was that they should be restricted to beginners' texts. However, the view we have taken has been that readers who do not need vowel length to be marked can ignore it, but that marking it regularly gives good support not only for novice readers but for many expert readers as well.

We have not marked long vowels primarily in order to help scan the metre of the poems in the book. Indeed, Carruthers made use of classical quantitative metres in only two of his poems: "*Ut caudam crocodīlus*" written in hendecasyllabics, and "*Grandis es aevō, pater Gulielme*" in elegiac couplets; for the rest, he emulated the stress-based metres of the English original. The reason we have marked long vowels is that as much as possible we want to support anyone who wishes to read the Latin aloud. Of course this will be especially helpful for those who aspire to a reconstructed classical pronunciation, but we hope that it just as well will aid all readers, regardless of their preferred mode of pronunciation, when it comes to accentuating the words.

In the preparation of this edition, all vowels have been carefully investigated, including the vowels in syllables long by position. In a few isolated cases where the classical vowel lengths are in dispute, or where usage evidently vacillated, the vowels have been left unmarked: as examples of this can be mentioned the vowels in the first syllable of *usque*, *juxtā* and *narrō*, as well as the endings in the future perfect of the verbs.

Post-classical words and names pose a special problem: unless etymology and the usage of writers of quantitative poetry give clear and unambiguous guidance, we have in general been restrictive in marking explicit vowel lengths.

For example, although Sir Thomas More (1478–1535) used the form *Ālĭcĭae* in an epitaph, this may be explained by the need to fit the name into a dactylic metre.[2] It is for this reason the name was scanned *Ălīcĭă* by Anthony Collins in his translation of the prefatory poem (see page 127); in the rest of the book, however, we have decided to leave all vowels of *Alicia* unmarked.

Carruthers himself distinguished *u* and *v* regularly, but not *i* and *j*. In our poll we found that some Anglophone Latinists tended to dislike orthographic *j* for [j] since they associate that letter with [dʒ]. Our decision to nevertheless employ the letter *j* was taken on two grounds: for one, the distinction in writing between the vowel *i* and the consonant *j* is comparable to that between *u* and *v*, phonologically as well as historically (both being post-classical innovations), and consequently we saw no logical reason to treat the two letter pairs differently. But rather than abandon *v* and use only *u* for both the vowel and the consonant, it seemed much more preferable to opt for a less ambiguous orthography. Secondly, we think that typographically it gives this work a very suitable appearance, considering that in 1865 when *Alice* was written the letter *j* was quite common in Latin publications, even in English-speaking countries.

A few other changes have been made to the text, in order to correct errors noticed either by reviewers in the 1960s or by ourselves while preparing this edition. Since some readers may wish to know what these changes are, we list them here.

An important group of changes affects the gender of some words. In the original story, there are a few male characters, which in Latin have got names of the feminine gender: ***Ērūca***, ***Fēlēs Cestriāna***, and ***Testūdō Subditīva***. However, when nouns and adjectives are used to refer to these animals,

2 *Chāra Thomae jacet hīc Jōanna uxorcula Mōrī*
quī tumulum Āliciae hunc dēstino, quīque mihī....
(MacDiarmid 1820, page 335.)

Carruthers himself was inconsistent, sometimes using feminine forms according to the grammatical gender of the names, but sometimes using masculine forms according to the sex of the characters. For this new edition it seemed best to be consistent and adhere to the grammatical genders throughout. Thus *domine* has been replaced five times by *domina* (twice p. 43, p. 45, p. 50, p. 94), and *bone* has been replaced by *bona* (p. 104); *gesticulātus* has been replaced by *gesticulāta* (twice p. 63), and *locūtus* has been replaced by *locūta* (p. 94). We may also mention here *eās nandō cōnsequiminī* on page 98 instead of the original *eōs* (referring to *locustās*). On the other hand we write *cum parvī essēmus* on page 94, where the original edition had *parvae*: it is reasonably arguable that the Mock Turtle intended to include the Gryphon (unequivocally male), who went to the same school.

A few changes were proposed in a review by Richard T. Bruère, and for the most part we have followed his suggestions. Seeing that *porticus* is a feminine noun, we have changed *alter porticus longus … eum* to *altera porticus longa … eam* on page 10. On page 23, where Alice tells about the estimated value of the dog, a superfluous *quotannīs* has been removed. Carruthers translated guinea-pig with the Neo-Latin word *cavia*, except in Chapter IV "Cunīculus Indicem Immittit" where we in the original edition read that the lizard was held up by *duōbus leporibus*; to make the translation consistent, this has been changed to *duābus caviīs* (page 40). Finally, *vāsibus* has been replaced with the much more common form *vāsīs* on page 72.

Further changes include *ostentandae* on page 9 in place of the original *ostendandae*, and *vestītū famulārī* on page 54 for original *vestītū familiārī*. On page 64, *quam mēnse Mārtiō erit* has been changed to *quam mēnse Mārtiō erat*. The words *ab opprobriīs* in Alice's remark on page 67 have been changed to *ā contumēliīs*, to correspond with the Hatter's triumphant reply on page 73. As a consequence of the use of *j* we have restored *hgckrrh* to *hjckrrh* on page 93. The parenthetical reference to the frontispiece on page 107, absent in the original edition, has been added. On page 110, *eum ergō fūrātus es* has been changed to *eum ergō fūrātus est*: because the King turns to the jurors when saying this, it seems more proper to let him speak of the Hatter in the third person.

The spelling of two words has been changed to more classical forms: *sōlāciō* in place of *sōlātiō* on page 35 and *oboedīret* in place of *obēdīret* on page 58. Some verbs which should properly be deponent have been corrected: on page 38, *opperiēbat* has been replaced by *opperiēbātur*; on page 40, *opperīre* has been replaced by *opperīrī*; and on page 52, *nīdulāre* has been replaced by *nīdulārī*. In the interest of listing all changes, it can finally be mentioned that a few simple typographical errors have been amended: on page 71, *carmem* has been replaced by *carmen*; on page 74, *name somnō* has been replaced by *nam somnō*; and on page 78, *quid ad hoc* has been replaced by *quī ad hoc*.

In places italics and exclamation marks have been restored where Carroll used them for emphasis. Paragraph division has been restored to follow Carroll's own practice. Here, as in Evertype's other editions of *Alice* books, the book design has been inspired by that of Martin Gardiner's *Annotated Alice*.

The prefatory verses "*All in the Golden Afternoon*" were not translated by Carruthers in the 1964 edition; because of this, we put out a call in June 2011 to see if anyone was willing to do the translation for us. Three people responded, all approaching the translation in different ways. We have placed Stephen Coombs' version in iambic trimeters, "*In fābulam Aliciae prooemium*", at the beginning of the book, as it was the winner of the unexpected competition. The other two translations, "*Dē fābulā inceptā*" by Anthony Collins, and "*Carmen in praefātiōnem Aliciae*" by Brad Walton, are given following the story, beginning a series of appendices which did not appear in the 1964 edition. After these poems follows "*Pater Villus*", a translation of "*Father William*" made by Hubert Digby Watson in 1937. Next is Henry Charles Finch Mason's translation of "*The Duchess' Song*", titled "*Canticum Ducissae*", along with a note by August A. Imholtz, Jr., about that translation. After all of this comes an interesting essay and commentary on the subject of the Latin Grammar which Alice remembers when she is swimming with the Mouse in Chapter II, by Selwyn H. Goodacre and a number of correspondents.

For this new edition, the Latin-English glossary at the end has been greatly enlarged. Instead of treating only a few Neo-Latin words and phrases peculiar to this book, the extended glossary now also covers over two hundred less common classical words. It is our hope that this will enable a much larger group of our readers to enjoy Carruthers' translation without having to resort to external dictionaries.

Michael Everson	Johan Winge
Westport	Uppsala

September 2011

Bruère, Richard T. 1965. "Review", in *Classical Philology*, vol. 60, no. 2 (April 1965), pp. 149–150.

Gummere, John F. 1964. "Review", in *The Classical World*, vol. 58, no. 3 (November 1964), pp. 92–93.

MacDiarmid, John. 1820. *Lives of British Statesmen*. Vol. 1. London: Longman, Hurst, Rees, Orme, and Brown.

Schnur, Harry C. 1965. "Review", in *The Classical Journal*, vol. 60, no. 8 (May 1965), p. 378.

Jacket text from the 1964 edition

Quam linguam loqueris? Russiānam? Japonicam? Sēricam? Suahilicam? Esne bilinguis? An multilinguis? Liber nōtus Ludovīcī Carroll, *Alicia in Terrā Mīrābilī*, in hās et fermē vīgintī aliās linguās redditus est. Facētiae ejus atque satura jūcunda ad omnēs hominēs pertinent. Nunc eum gustā in eum sermōnem versum in quō Jūlius Caesar, sī satis fortūnātus fuisset, eum legere potuisset.

Centum annōs scrīptōrēs saturārumque pictōrēs, et interpretēs rērum pūblicārum aut cīvīlium aut mōrālium ex

What language do you speak? Russian? Japanese? Chinese? Swahili? Are you bilingual? Or multilingual? Lewis Carroll's famous book, *Alice in Wonderland*, has been translated into these and a score of other languages. Its humor and satire have a universal appeal and application. Now try it as Julius Caesar might have read it, if he had been lucky enough.

For a century *Alice in Wonderland* has been a mine of characters, puns and situations for Cartoon-

Alicia in Terrā Mīrābilī, quasi ex metallō, mōrum exemplāria et facētiārum specimina effōdērunt. Hīc tractantur vitia et ineptiae et incōnstantiae hominum, ut puellae innocentī atque incrēdulae appārent.

ists, satirists and commentators in the political, social and moral fields. It is a study of the faults, foibles and eccentricities of human beings, as presented to the innocent and bewildered gaze of a child.

Animum adverte huic fābellae;
Licet scīre mōrēs hominum,
Intrōspectōs oculīs puellae
Cui ēvēnit mīrum somnium,
Indolēs ineptās, joca, gerrās:—
Aptum vītae hīc compendium.

'Pay heed to this little tale;
you may learn of the characters of human beings,
as viewed through the eyes of a little girl
who had a marvellous dream,
their silly dispositions, jokes and nonsense.
Here you have a jitting summary of life.'

(For the rest, the reader is on his own.)

Clive Harcourt Carruthers, Professor Emeritus of Classical Languages and Literature at McGill University, undertook his translation of *Alice in Wonderland* as a challenge and an entertainment. The book suggested to him "the work and treatment of the ancient comic writers, such as Plautus and Aristophanes, of situations, puns and illogicalities."

Alicia in Terrā Mīrābilī

Index Capitum

“In fābulam Aliciae prooemium”

A Latin translation of
“All in the Golden Afternoon”
by Stephen Coombs
2011

Prōvectus hōrīs trāns itineris verticem
illūstrat aurō sōl agrōs et arborēs.
Nōs lintre lentē lābimur, nam brāchia
parum perīta parva tractant palmulās
clāvōque frūstrā parva manus errantibus
cursum tenēre tentat. Heu clēmentiā
trēs dēstitūtae, quae rogāstis fābulās
sēgnis calōris impotentem somniīs
movēre plūmam spīritū levissimam!
Num superet autem sōla vōx ac dēbilis
linguās coāctās trēs in hostīlem modum?
Jubet tonante Prīma initium fulmine,
petit Secunda mollius facētiās,
persaepe et interfātur urgēns Tertia:
tamen repente vincit hās silentium
quae cōnsequuntur mente fictam virginem
per loca replēta prōdigē mīrāculīs,
avī loquente bēstiāque cōmiter.
Nec omnia illīs sentiuntur fallere
quōrum parumper fūsiō prōductior
vidētur exhaustūra fontem imāginum.
Fessus quiētem languidē dēsīderāns
narrātor "ōlim cētera" inquit. "Hīc adest
tempus" reclāmant inde fēstīvō sonō.
Terrae novātīs singulīs Mīrābilis
ēventibus sīc tarda crēvit fābula,
quā termināta tunc remigrāmus domum
sub occidente sōle laetī nāvitae.

Narrātiōnem līberīs idōneam
Alicia sūmptam pōne lēniter precor
ligant puellae quā memoriae cōpiās
in gaudiōrum serta veterum mystica,
similia flōrum jam corōnae marcidae
quōs in remōtīs tractibus carpsit piē
nactus viātor nūminis sacrārium.

CAPUT I

Dēscēnsus in Cunīculī Cavum

Aliciam jam incipiēbat plūrimum taedēre juxtā sorōrem suam in rīpā sedēre nec quidquam habēre quod faceret. Semel et saepius in librum oculōs conjēcerat quem soror legēbat: sed eī inerant nec tabulae nec sermōnēs. "Quid adjuvat liber," sēcum reputābat Alicia, "in quō sunt nūllae tabulae aut sermōnēs?"

Itaque cōgitābat (nempe ut lūcidissimē poterat, nam tempestāte calidā torpēbat sēmisomna) num operae pretium esset surgere et flōsculōs carpere, modo ut sertum nectendō sē dēlectāret, cum subitō Cunīculus Albus oculīs rūbeīs prope eam praeteriit.

Neque in eō erat quidquam magnopere dignum memoriā: neque Aliciae valdē īnsolitum vidēbātur ut Cunīculum sibi loquentem audīvit: "Vae, vae! Sērō perveniam!" Cum Alicia posteā dē hōc cōgitāret, in mentem occurrit id dēbuisse sibi mīrum vidērī, sed id temporis omnia vidēbantur ōrdināria. Sed ut Cunīculus *hōrologium parvulum rē vērā ē sinū subūculae extractum* contemplātus usque festīnāvit, Alicia cito cōnsurrēxit. In mentem enim ejus subitō incidit sē numquam anteā cunīculum vīdisse quī aut subūculā induerētur aut hōrologium portāret quod ex eā extrahere posset. Ita Alicia, cūriōsitāte ārdēns, Cunīculum trāns prātum persecūta in ipsō articulō eum cōnspicāta est cito dēscendentem in cavum sub vepribus situm.

Nōn diūtius morāta, Alicia post eum dēscendit, nē cōgitāns quidem quō pactō omnīnō rūrsus ēmergeret.

Aliquod spatium cunīculī cavum prōtinus rēctē porrigēbātur velut fossa subterrānea; deinde tam subitō dēclīve factum est ut Alicia, antequam sē sistere posset, invenīret sē dēcidere quasi in profundissimum puteum.

Sed sīve puteus profundissimus erat sīve ea lentissimē dēcidēbat, dēscendentī satis temporis eī erat ut circumspectāret et mīrārētur quid proximē ēventūrum esset. Prīmō cōnābātur īnfrā dēspicere, ut discerneret quō advenīret. Sed propter obscūritātem nihil vidēre potuit. Deinde observābat latera puteī, quae plēna armāriīs pluteīsque esse vidēbat: passimque mappae terrārum et tabulae dē paxillīs pendēbant. Praeteriēns Alicia dē ūnō pluteōrum ōllam dētrāxit, titulō īnscrīptam "AUREŌRUM DĒCOCTIŌ MĀLŌRUM"; at praeter spem vacua erat. Et cum ōllam manū dēmittere nōllet, nē quem īnfrā interimeret, fēlīciter effēcit ut, dum praeterit, in ūnum armāriōrum eam dēpōneret.

"Eja!" sēcum reputāvit Alicia, "postquam ita longē dēcidī, dē scālīs dēlābī nūllīus mōmentī erit! Quam fortem mē esse putābunt omnēs domī! Etiamsī enim dē summō tēctō dēlābar, nūllum verbum ēdam." (Quod prōrsus vērī simile sit.)

Deorsum, usque deorsum cadēbat. An numquam fīnis sit dēcidendī? "Nam mīror quot mīlia passuum" inquit Alicia "adhūc dēlāpsa sim. Mē jam oportet appropinquāre ad mediam partem globī terrestris. Cōgitā enim: ferē quater mīliēns mīlia passuum oportet esse." (Complūrēs enim hujus generis rēs Alicia in scholā didicerat; et quamquam occāsiō minimē opportūna erat scientiae ostentandae, quod nēmō aderat quī eam audīret, tamen bonae exercitātiōnī esse putābat haec iterāre.) "Ita est," inquit Alicia, "id oportet esse spatium vērum. Sed quidnam attigī Lātitūdinis vel Longitūdinis?" (Omnīnō nesciēbat quid significārent verba "Lātitūdō" vel "Longitūdō", sed eī vidēbantur verba grandiloqua esse.)

Mox iterum loquī coepit: "Dēmīror num prōrsus per tōtum globum dēlāpsūra sim. Quam erit mīrābile inter gentēs ēmergere quae capitibus inversīs incēdunt. Antipathīae, crēdō, vocantur—" (Grātius eī erat quod rē vērā nēmō nunc auscultābat, nam verbum "Antipathīae" nōn omnīnō jūstum vidēbātur.) "—sed plānē necesse erit," ait, "hōs hominēs rogāre quod sit nōmen terrae. Dīc mihi, sīs, domina, estne haec terra Nova Zealandia, an Austrālia?" Et dum loquitur genū flectere cōnāta est—quasi posset genū flectere quisquam dum per āerem dēlābitur. An tū, mī amīce, id possēs? "Quam īnscītam ea cēnsēbit mē esse, sī hoc rogābō! Rogandum vērō nōn est. Forte nōmen terrae alicubi īnscrīptum vidēbō."

Deorsum, usque deorsum cadēbat. Cum nihil aliud esset quod faceret, Alicia mox rūrsus loquī coepit. "Dīna certē hodiē vesperī mē dēsīderābit." (Dīna fēlēs domestica erat.) "Spērō patellam lactis vesperī eī dare eōs nōn esse oblītūrōs. Dīna cāra, ō sī mēcum hīc īnfrā adessēs! In āere, opīnor, nūllī sunt mūrēs; fortasse tamen possēs captāre vespertiliōnem, quī sānē mūris similis est. Sed mīror num fēlēs edant vespertiliōnēs." Alicia nunc incipiēbat somnō vincīrī, et sibi usque dictitābat somniculōsē, "Fēlēsne vēscuntur vespertiliōnibus?" et aliquandō "Vespertiliōnēsne vēscuntur fēlibus?" Quod enim neutrum explicāre poterat, paulum intererat utrō modō dīceret. Eī vidēbātur sē somniculōsam somniāre incipere: sē manibus jūnctīs cum Dīnā deambulāre eamque sēriō rogāre, "Vērōne, Dīna, ēdistī umquam vespertiliōnem?"—cum subitō strepitū magnō incidit in acervum virgārum frondisque āridae. Terminus hīc fuit cāsuī.

Alicia, nihil laesa, cito surrēxit. Sūrsum cōnspexit, sed suprā omnia obscūra erant. Sed ante eam erat altera porticus longa: Cunīculus Albus etiam erat in cōnspectū, per eam properāns. Aliciae necesse erat festīnāre. Quam vēlōcissimē Cunīculum īnsecūta, forte audīvit eum dīcere, ut in angulō viae dēflexit, "Per aurēs sētāsque meās, quam sērō sum!" Quamquam minimō spatiō Cunīculum sequēbātur, cum in flexum sē vertit, ille ē cōnspectū ēvānuerat. Alicia erat in longō ātriō lacūnāre nōn altō, quod lucernae ā tēctō ōrdine dēmissae illūstrābant.

Circum tōtum ātrium erant forēs, omnēs obserātae; et postquam circuitum fēcit utriusque lateris ātriī omnēsque forēs aperīre tentāvit, Alicia per medium incessit maesta, nam mīrābātur quōmodo umquam ēvādere posset.

Dē imprōvīsō invēnit mēnsulam tripedem vitrō solidō factam; in eā nihil erat praeter clāvem auream perparvam, quā prīmō Alicia putāvit sē posse forēs quāsdam ātriī aperīre. Ēheu! Sīve māchinātiō serārum nimis magna, sīve clāvis nimis parva erat, certō haec nūllās forēs aperuit. Cum tamen bis circumiisset, invēnit aulaeum humile quod anteā nōn animadverterat. Post hoc erat jānua parva, ferē digitōs quīndecim alta. Clāve aureā parvulā ad māchinātiōnem accommodātā, Alicia gaudiō maximō eam aptam esse invēnit!

Jānua reclūsa forāmen praebuit in parvum trānsitum, nōn multō majōrem quam mūris cavum. Alicia, genibus subnīxa, per trānsitum cōnspexit hortum multō amoenissimum. Quantum gestiēbat ēvādere ex illō ātriō obscūrō et inter flōrēs purpureōs fontēsque frīgidōs pervagārī! Sed nē caput quidem per jānuam prōtrūdere poterat. "Etiamsī reāpse caput meum trānseat," puella īnfēlīx sēcum reputābat, "id minimō ūsuī sit sine umerīs. Utinam mē comprimere possem velut tēlescopium! Id possem, crēdō, sī tantum facere scīrem initium." Tot vērō mīra nūper acciderant ut Alicia crēdere coepisset paucissima rē vērā fierī nōn posse.

Nōn ūsuī vidēbātur esse Aliciae ad jānuam parvam permanēre, itaque ad mēnsulam rediit. Spērāvit enim sē in eā alteram clāvem inventūram esse, aut saltem librum praeceptōrum, quibus ūsī hominēs comprimerentur velut tēlescopia. Nunc ibi invēnit ampullam parvam ("Certō nōn hīc erat anteā," inquit Alicia), cujus circum cervīcēs alligātus erat titulus chartāceus. In eō magnīs litterīs bellē scrīptum erat: "HAURĪ MĒ".

Facile erat dīcere "Haurī mē"; sed Alicia, prūdēns puella, raptim obtemperāre nōluit. "Prius potius scrūtābor," inquit, "notamne ampulla habeat '*venēnum*' necne." Fābellās enim dēlicātās quāsdam lēgerat, in quibus scrīptum erat puerōs ambūstōs esse vel ferīs dēvorātōs vel aliōs cāsūs molestōs passōs esse, tantum quod reminīscī nōllent quās ratiōnēs agendī simplicēs amīcī praecēpissent. Exemplī grātiā: "Ferrum calōre candēns adūret sī diūtius aequō id tenēbis." Aut "Sī digitum cultellō *gravius* īnsecēs, plērumque sanguine fluit." Et (quod Alicia bene meminerat) "Sī multum bibās ex ampullā verbō 'venēnum' notātā, sērius aut citius stomachō grave est."

Cum autem huic ampullae nota "venēnum" *nōn* inesset, Alicia, gustāre ausa, pōtiōnem suāvissimam esse sēnsit. Sapōrem vērō quōdammodo mixtum habēbat: repraesentābat enim scriblītam cerasōrum—et lacticīnia—et cydōnia—et carnem gallīnāceam assam—et cuppēdia—et pānem tostum būtȳrō illitum. Alicia brevī tempore pōtiōnem exhausit.

*   *   *   *

*   *   *

*   *   *   *

"Eja! Sēnsū quam īnsolitō afficior!" inquit Alicia. "Videor comprimī velut tēlescopium!"

Atque ita erat. Nunc tantum decem digitōs alta fuit. Hilaris ergō vultū erat quod jam esset satis alta ad hortum amoenissimum per parvam jānuam intrandum. Prīmō tamen paulisper exspectābat sī amplius sē contraheret. Hōc enim facta est aliquantō timidior. "Cōgitādum," sibi dīxit. "Ad extrēmum fierī possit ut candēlae modō exstinguar. Quālis tunc futūra sim dēmīror." Et sibi fingere cōnāta est flammulae candēlā exstīnctā fōrmam. Nōn enim meminerat sē umquam tālem rem vīdisse.

Paulō post, quoniam nihil amplius accidit, statuit nūllā morā in hortum īre. Vae miserae Aliciae! Ut ad jānuam advēnit, sē clāvem auream parvulam relīquisse invēnit. Regressaque ad mēnsam ad eam repetendam, nūllō modō poterat eam contingere, quamquam per vitrum eam perspicuē vidēre poterat. Quam maximē poterat, cōnābātur pede ūnō mēnsae ēnītī: at vērō nimis lūbricus erat. Cōnātibusque dēfatīgāta, puellula misera cōnsīdit lacrimāsque fūdit.

"Tacēdum: ināne est sīc lacrimāre!" sibi dīxit sevērē Alicia. "Tē hortor ut extemplō dēsinās!" Plērumque quidem sē optimē admonēbat (rārō tamen ipsa monitīs ūtēbātur): aliquandō tam asperē sē increpābat ut etiam flēret. Tempore quōdam (sīc recordābātur) sē alapīs caedere cōnāta est, quod pilā lūdēns nūllō aliō competītōre contrā sē ipsam fallāciter ēgisset. Nam Aliciam lūsus īnsolitus dēlectābat, quō duōs hominēs sē esse simulābat. "Sed vānum est" Alicia meditābātur, "nunc simulāre mē esse duōs hominēs! Vix satis meī superest ex quō homō ūnus eō nōmine dignus fīat!"

Mox cōnspicāta est cistellulam vitream sub mēnsā sitam; quā reclūsā placentam parvulam invēnit, in quā verba "VĒSCERE MĒ" ūvīs passīs bellē notāta erant. "Estō, vēscar eā," inquit Alicia, "et sī mē prōcēriōrem faciet, clāvem contingere poterō: sīn humiliōrem, per jānuam rēpere poterō. Utrōque modō in hortum perveniam; et meā nihil interest utrum fīat!"

Paululum ēdit, sibique ānxiē dīxit: "Utram in partem crēscō? Utrō?" In summō capite manum tenēbat, ut discerneret quam in partem mūtārētur. Praeter exspectātiōnem sēnsit sē nec majōrem nec minōrem fierī. Nempe hoc plērumque fit cum placentam edās. Sed Alicia exspectāre adsuēverat nīl praeter īnsolita; itaque prōrsus jejūnum et īnsulsum esse vidēbātur omnia cōtīdiānō modō continuārī.

Initiō igitur factō Alicia mox dēvorāvit placentam.

* * * *
* * *
* * * *

Caput II

Stāgnum Lacrimārum

"Necopīnātius, etiam necopīnātius!" inquit Alicia. (Tantum stupēbat ut ad praesēns facultās rēctē loquendī eam omnīnō dēsereret.) "Distendor nunc velut maximum omnium tēlescopium! Pedēs, valēte!" (Cum enim pedēs suōs dēspiceret, tam procul esse vidēbantur ut vix in cōnspectū essent.) "Ei! Pedēs misellī, quisnam vōbīs dehinc induet soleās et tībiālia, dēliciae? Certum est *mē* nōn posse! Procul erō multō magis quam ut vōs cūrem. Rēs vōbīs gerendae erunt quam bene poteritis. Sed benevola eīs esse dēbeō," sēcum reputābat Alicia, "aut forte nōn incēdent quō modō ego īre volam! Quid enim? Soleās novās semper Sāturnālibus eīs dabō."

Et usque cōgitābat quōmodo id efficeret. "Soleās oportet ā gerulō apportārī; et quam mīrum mihi erit dōna ad meōs ipsīus pedēs mittere! Quamque inūsitātē īnscrībētur fasciculus!

Alicia Pedī Suō Dextrō S. P. D.,
In Strāgulō,
Prope Focum.

Eja vērō! Quam inepta dīcō!"

Eō ipsō tempore caput ejus percussit tēctum ātriī. Nunc vērō paulō amplius pedēs novem alta erat. Itaque clāve aureā parvā recuperātā ad jānuam hortī properāvit.

Misellam Aliciam! Cum in ūnō latere dēcumberet, in hortum ūnō oculō perspicere sōlum poterat. At eō penetrāre multō magis praeter spem erat quam anteā. Ea cōnsīdit, et rūrsus lacrimāre coepit.

"Tē pudēre oportet," ait Alicia, "puella grandis ut es," (quod jūstē dīcere poterat!) "eō modō usque lacrimāre. Dēsistedum cōnfestim!" Sed nihilō minus flēbat, atque lacrimās abundanter fūdit usque eō dōnec stāgnō circumdata est magnō, ferē quattuor digitōrum in altitūdinem, quod per dīmidiam ātriī partem patēbat.

Paulō posteā levem pedum crepitum procul audīvit. Lacrimās festīnanter abstersit, ut vidēret quid venīret. Cunīculus

Albus erat quī redībat, nitidē vestītus; in alterā manū manicās candidās haedīnā alūtā factās, in alterā flābellum satis magnum portābat. Citātō gradū properanter advēnit; simulque sibi mussitābat: "Ei, Ducissa, Era Nōbilis! Nōnne profectō saeva erit sī mihi praestōlārī eam coēgerō!" Alicia tantum dēspērāvit ut parāta esset opem ā quōvīs petere. Itaque ut Cunīculus prope advēnit, vōce submissā et verēcundā sīc incēpit: "Domine, tē precor, sīs—" Cunīculus violenter trepidāvit; et manicīs candidīs flābellōque dējectīs in tenebrās sē abripuit quam celerrimē potuit.

Alicia flābellum manicāsque sustulit; et, cum ātrium valdē calidum esset, flābellum hūc illūc agitābat dum usque loquitur. "Ēheu! Quam mīrum in modum omnia hodiē sē habent! Heri autem rēs ut solēbant agēbantur. Mīror num nocte trānsmūtāta sim. Agedum; *eramne* profectō eadem cum hodiē māne lectulō surrēxī? Haud sciō an meminerim mē mihi vīsam esse paulō dissimilem esse. Sed sī eadem nōn sum, porrō quaerendum est: Quisnam sum ego? *Is* quidem nōdus praecipuus est." Et cōnsīderāre coepit omnēs sibi nōtās puellās quae eī aequālēs nātū erant, sī forte quāpiam eārum mūtāta esset.

"Certē sciō mē nōn Lūciam esse," inquit Alicia, "nam ea longīs cirrīs est crīnīta; meae autem crīnēs nūllōs omnīnō cirrōs habent. Et sciō mē Mariam esse nōn posse; nam ego plūrima nōvī, at illa tantillum quidem nōvit! Praetereā ea est *ea*, et ego sum *ego*, et—Ēheu! Quam ambiguum est! Cōnābor probāre num adhūc nōverim omnia quae nōvisse solēbam. Agedum! Quater quīna sunt duodecim, et quater sēna sunt tredecim, et quater septēna sunt—Ēheu! Sīc vīgintī numquam attingam! Multiplicātiōnis tamen nōn rēfert: geōgraphiam probēmus. Londīnium est caput Lutetiae, et Lutetia est caput Rōmae, et Rōma—nōn *ita* est. Certē sciō id plānē falsum esse! Fierī nōn potest quīn in Mariam mūtāta sim! Recitāre cōnābor '*Ut apicula*—'"; et manibus in gremiō compressīs velut dictāta recitāret, versūs repetere coepit. Sed vōx ejus sonum subraucum īnsolitumque ēdidit; et verba carminis sonābant aliter quam ut solēbant:—

"Ut caudam crocodīlus, ecce, parvus
Cūrat continuō suam nitentem;
Lymphā Nīliacā irrigat lavatque
Squāmās sēgniter aureās adusque!

Quam rictūs hilarēs frequenter ēdit!
Unguēs ōrdine callidēque pandit;
Mālīs pisciculōs capit benignē
Subrīdentibus, hōsce pellicitque."

"Certē sciō illa verba rēcta nōn esse," inquit misella Alicia; oculīsque lacrimīs suffūsīs porrō dīxit: "Nihilōminus mē oportet Mariam esse. Eundum mihi erit habitandumque in illā casulā incommodā. Sīc mihi erunt ferē nūllae rēs lūsōriae; et plūrima discenda erunt! Immō vērō cōnsilium cēpī: sī ego Maria sum, hīc īnfrā manēbō! Frūstrā capitibus in cavum dēmissīs dīcent: 'Sūrsum sīs revenī, dēliciae!' Tantum suspiciam et dīcam, 'Quisnam sum ego? Dē hōc prīmō mē certiōrem facere vōbīs opus est: deinde, sī juvābit quod illa sum, quaequae est, sūrsum veniam; sī minus, hīc īnfrā manēbō dum puella alia fīam'—sed vae mihi!" inquit Alicia, lacrimīs subitō effūsīs, "Eōs valdē velim capita deorsum esse dēmissūrōs! Mē *maximē* taedet hīc sōlam esse!"

Dum ita dīcit, dēsuper intuita est manūs suās; admīrāta est sē alteram manicārum candidārum Cunīculī, dum loquerētur, induisse. "At quōmodo id facere potuī?" sēcum reputābat. "Oportet mē rūrsus minōrem fierī." Exsurrēxit et ad mēnsam īvit ut sē eā mētīrētur. Quantum accūrātē conjectāre poterat, ea nunc erat circiter duōs pedēs alta, et rapidē usque minuēbātur. Mox repperit causae esse flābellum quod tenēret; et id properanter dējēcit antequam prōrsus ēvānēsceret.

"Aegrē quidem id perīculum effūgī!" inquit Alicia, quae mūtātiōne subitā satis territa est, gaudēbat tamen quod adhūc exstābat. "Nunc saltem ad hortum perveniam!" Celerrimē rūrsus cucurrit ad parvam jānuam. Sed īnfēlīciter jānuam dēnuō clausam invēnit, et parva clāvis aurea ut anteā in mēnsā vitreā sita erat. "Rēs difficilior est quam umquam anteā," sibi dīxit puella misera, "nam numquam prius tam parva eram quam nunc! Rē vērā nōn ferendum est!"

Hīs verbīs dictīs pēs ejus vestīgiō lāpsus est, et statim mentō tenus in aquam salsam immersa est. Prīmō putābat sē aliquō modō in mare dēcidisse. "Sī ita est," sibi inquit, "viā ferrātā redīre poterō." (Alicia semel tantum lītus marīnum vīserat: et inde opīniōnem habēbat ut putāret, quōcumque in lītore Angliae eās, reperīrī aliquot tuguria balneāria in marī, puerōs complūrēs pālīs ligneīs in arēnā fodientēs, deinde tēcta dēversōria ōrdine disposita, atque post ea statiōnem in viā ferrātā.) Brevī tamen comperit sē in stāgnō lacrimārum esse quās fūdisset quō tempore novem pedēs alta esset.

"Velim mē nōn tantum lacrimāvisse!" Alicia inquit, dum circum natat modumque ēgressūs petit. "Nunc igitur poenae mihi erit ut meīs ipsīus lacrimīs submergar! Haud dubiē id īnsolitum erit! At omnia hodiē īnsolita sunt."

Tunc vērō aliquid audīvit in stāgnō nōn procul aquam ictibus verberāre. Propius ea natāvit ut comperīret quid esset. Prīmō putābat oportēre esse phōcam aut hippopotamum; sed reminīscēns quam parva ipsa nunc esset, percēpit sōlum mūrem esse, quī similī modō atque ipsa in aquam inciderat.

"Ūsuīne esset" sēcum reputābat Alicia, "cum hōc mūre colloquī? Omnia hīc īnfrā tam mīra sunt ut vērī simile mihi videātur eum scīre loquī. Certē experīrī nihil nocēbit." Itaque loquī coepit: "Ō mūs, scīsne quōmodo ex hōc stāgnō ēmergere possīs? Sānē quam taedet mē hīc circum natāre, ō mūs!" (Alicia putābat sīc rēctē mūrem adloquī oportēre. Nihil ejusmodī anteā fēcerat; sed meminerat sē in frātris librō grammaticō vīdisse: "Mūs—mūris—mūrī—mūrem—ō mūs!") Mūs satis cūriōsē eam intuēbātur; eī vidēbātur ūnō ex ocellīs suīs nictāre, sed nihil dīxit.

"Linguam meam fortasse nōn comprehendit," Alicia cōgitābat. "Sine dubiō mūs Gallicus est, quī in Angliam ūnā cum Gulielmō Victōre trānsvectus est." (Alicia enim, quamquam multa dē rēbus historicīs cognōverat, nōn bene intellēxit quot annīs abhinc rēs gestae essent.) Itaque loquī rūrsus coepit: "Où est ma chatte?" Haec erant prīma verba in librō ejus quō linguam Gallicam in scholā discēbat. Mūs subitō ex aquā saluit, et tōtus metū tremere vidēbātur. "Ei, ignōsce mihi!" Alicia cito exclāmāvit, quod timēbat nē exiguum animal laesisset. "Prōrsus oblīta sum tē fēlibus nōn dēlectārī."

"Dīcisne mē fēlibus nōn dēlectārī!" Mūs vōce acūtā īrācundē clāmāvit. "Num *tē* fēlēs dēlectārent, sī essēs ego?"

"Fortasse vērō mē nōn dēlectārent," inquit Alicia, vōce blandā. "Nōlī hōc īrāscī. Velim tamen mē tibi fēlem nostram Dīnam mōnstrāre posse. Ut opīnor, fēlēs tibi voluptātī sint, sī modo eam vidēre possīs. Dulcis quidem et placida est," Alicia paene immemor porrō sibi dīxit, dum in stāgnō sēgniter natat. "Ad focum suāviter sedēre solet, dum gaudiō murmurat, pedēsque lambit, ōsque lavat. Dulcis et mollis est quam foveās—et mūrēs sollerter captat—ai, ignōsce mihi," iterum dīxit Alicia. Nunc enim Mūs prōrsus horrēbat; et ea prō certō habēbat eum rē vērā īrāscī. “Nōn amplius nōs dē Dīnā loquēmur, sī id potius habēs.”

“Nōsne quidem dīcis?” Mūs dīxit, quī ad īmam caudam contremīscēbat. “Num opīnāris *mē* quidem dē tālī rē loquī velle? Gēns nostra semper fēlēs *ōderat*; tam foedae sunt et abjectae et sordidae! Nē istud vocābulum iterum audiam!”

“Nōn vērō id audiēs!” dīxit Alicia, quae aliās rēs disserere properāvit. “Amāsne—dīligisne canēs?” Mūs nīl respondit: itaque Alicia porrō studiōsē dīxit, “In nostrā vīcīniā est quīdam parvulus dulcisque canis. Eum velim tibi mōnstrāre. Parvus canis vēnāticus est, oculīs clārīs longīsque villīs crispīs et flāvīs! Et recuperāre solet ea quae prōjiciās, et clūnibus subsīdēns cibum petere, et multa alia quōrum dīmidium nōn recordor. Agricolae cujusdam est, quī affirmat eum propter ūtilitātem sibi sex mīlibus sēstertium valēre. Omnēs enim mūrēs interimit—vae mihi!” maestē inquit Alicia, “vereor nē eum dēnuō laeserim!” Mūs enim longē ab eā quam celerrimē natābat, et, ut ībat, stāgnum agitābat.

Itaque eum revocāvit abeuntem: “Cāre Mūs! Fac, sīs, reveniās, et nihil aut dē fēlibus aut dē canibus colloquēmur, sī tibi nōn grātī sunt!” Hōc audītō, Mūs reversus lentē rūrsus ad eam natāvit. Aliciae vidēbātur īrā pallidus esse; vōce suppressā et tremebundā dīxit: "Ad lītus stāgnī eāmus. Tum tibi omnia narrābō quae expertus sum; et tū intellegēs cūr fēlēs et canēs ōderim."

Cōnfestim īre eōs oportēbat, nam stāgnum satis stīpātum fīēbat volucribus et animālibus, quae inlāpsa erant. Anas erat, et Dōdō et Psittacus et Aquila, et alia complūria animālia rāra. Aliciā praeeunte, tōta multitūdō ad lītus natāvit.

CAPUT III

Cursus Comitiālis et Narrātiō Longa

Inūsitātā vērō speciē caterva in lītore congregāta est; avēs erant pennīs incompositīs, animālia pellibus corporī artē adhaerentibus; omnēs plānē madefactī erant et stomachōsī et molestiā adfectī.

Prīmum manifestō dījūdicandum erat quōmodo siccī rūrsus fierent. Cōnsultātum est dē hōc: et brevī tempore minimē mīrum Aliciae vidēbātur cum eīs familiāriter colloquī, quasi tōtam vītam eōs nōvisset. Cum Psittacō quidem diū altercābātur; ille postrēmō mōrōsus factus tantum dīxit: "Tē major nātū sum; mē ergō oportet rēctius scīre." Alicia dissentiēbat, nisi scīret quot annōs ille nātus esset. Et cum Psittacus plānē recūsāvit nē aetātem suam profitērētur, nihil dījūdicārī potuit.

Postrēmō Mūs, quī apud eōs aliquantum auctōritātis habēre vidēbātur, exclāmāvit: "Cōnsīdite omnēs, et auscultāte mē. *Egomet* brevī satis siccōs vōs faciam!" Omnēs statim magnō circulō circum mūrem cōnsēdērunt. Alicia sollicitē eum intuēbātur; nam prō certō habēbat, nisi ipsa extemplō siccārētur, fore ut frīgore tentārētur.

"Ehem!" Mūs graviter inquit, "Estisne omnēs parātī? Omnium quae nōvī hoc est āridissimum. Omnēs, sī vultis, tacēte! 'Gulielmō Victōrī, cujus cōnsiliīs Pontifex Rōmānus favēbat, mox Anglī sē trādidērunt, quoniam ducibus carēbant atque nūper occupātiōnī et expugnātiōnī adsuētī erant. Eduinus et Morcārius, ducēs Merciae et Northumbriae—'"

"Heu!" Psittacus tremōre correptus dīxit.

"Veniam petō," inquit Mūs, et frontem satis cōmiter contrāxit. "Aliquidne dīxistī?"

"Nōn vērō!" Psittacus cito respondit.

"Mihi certē vidēbāris loquī," Mūs inquit. "Prōgrediar igitur. 'Eduinus et Morcārius, ducēs Merciae et Northumbriae, partēs ejus secūtī sunt; etiamque Stīgandus, archiepiscopus Cantuariae, patriae amantissimus, id idōneum esse exīstimāvit—'"

"*Quid* idōneum exīstimāvit?" Anas inquit.

"Nempe *id* exīstimāvit," Mūs stomachōsē respondit. "Nōnne scīs quid 'id' significet?"

"Certō sciō quid 'id' significet, cum *ego* aliquid inveniō," Anas inquit: "Plērumque est rāna aut vermis. At tē rogō quid archiepiscopus invēnerit."

Mūs, hoc negligēns, cito prōgressus est: "'—id idōneum exīstimāvit, ut cum Edgārō, juvene rēgiō, obviam Gulielmō īret, ut illī rēgnum offerret. Prīmō Gulielmus temperātē sē gerēbat. Sed arrogantia Normannōrum—' Quōmodo tē nunc habēs, puella?" Mūs porrō dīxit, dum sē ad Aliciam convertit.

"Tam madida sum quam anteā," Alicia maestē dīxit. "Id mē nōn omnīnō siccāre vidētur."

"Cēnseō igitur" graviter inquit Dōdō cum exsurrēxisset, "ut concilium prōferātur, praesentis assūmptiōnis ācriōrum remediōrum causā—"

"Linguā loquere populārī!" Aquila inquit. "Egomet nesciō quid illa verba longa significent; crēdō autem nē tē quidem scīre!" Et Aquila, capite dēflexō, rīsum cēlāvit; aliquae autem aliārum avium rīdentēs audiēbantur.

Dōdō subīrātus inquit: "In animō habēbam dīcere Cursum Comitiālem nōs facillimē siccāre posse."

"Quid est Cursus Comitiālis?" inquit Alicia. Nōn quidem avēbat scīre: Dōdō tamen interstiterat, quasi *quemvīs* loquī oportēre putāret, nec quisquam alius, ut vidēbātur, quidquam dictūrus erat.

Dōdō inquit: "Nempe agendō facillimē explicātur." (Atque, sī forte velīs aliquandō hieme ipse experīrī, tibi dīcam quō modō Dōdō cursum administrāverit.)

Prīmō curriculum fōrmā ferē circulārī mētātum est. ("Fōrmae accūrātae nōn indiget," inquit Dōdō.) Inde animālia omnia, spatiīs relictīs, in curriculō posita sunt. Signum nūllum cursūs ineuntis datum est. Omnēs ex arbitriō suō currere coepērunt et dēsiērunt: itaque difficile erat scīre quandō cursus fīnītus esset. Cum tamen ferē dīmidium hōrae cucurrissent, rūrsusque siccī factī essent, Dōdō subitō clāmāvit: "Cursus fīnītus est!" Omnēs anhēlantēs eum stīpābant, et rogābant "Quisnam vīcit?"

Ad respondendum Dōdōnī opus erat multā cōgitātiōne; diū igitur stābat ūnō digitō in frontem pressō (quō gestū ūtentem poētam Hastivibrācem dēpictum vidēre soleās). Cēterī tacentēs exspectābant. Dēnique Dōdō dīxit: "Omnēs vīcērunt; et omnibus praemia dōnanda sunt."

"Quis autem praemia dōnābit?" concordia vōcum quaerēbant.

"*Illa* sānē," inquit Dōdō, dum digitō Aliciam mōnstrat. Caterva tōta, circum eam congregāta, cōnfūsē clāmābant: "Praemia! Praemia!"

Alicia, ignāra quid facere dēbēret, dēspēranter manum suam in sinum vestis īnseruit et cistellulam cuppēdiīs plēnam extrāxit. (Aqua salsa fēlīciter in eam nōn permānāverat.) Haec praemiōrum locō distribuit. Singulum cuique erat cuppēdium.

"Sed ipsam praemium accipere oportet," inquit Mūs.

"Prōrsus oportet," Dōdō sēriō affirmāvit. "Quid aliud in sinū habēs?" inquit, dum sē ad Aliciam convertit.

"Tegumen sōlum digitī," Alicia maestē inquit.

"Id mihi trāde!" inquit Dōdō.

Deinde cūnctī eam rūrsus stīpāvērunt, et Dōdō summā gravitāte Aliciae tegumen digitī dōnāvit. "Obsecrāmus ut hoc tegumen digitī venustum accipiās." Quā brevī ōrātiōne habitā, omnēs acclāmāvērunt.

Quamquam absurdissimum Aliciae id vidēbātur, omnēs vultū tam sevērō erant ut rīdēre nōn audēret. Cum autem verba eī dēficerent, sōlum capite dēmissō eōs salūtāvit; et quam gravissimē digitī tegumen accēpit.

Deinde cuppēdia edere coepērunt, nōn sine strepitū et tumultū; avēs enim magnae querēbantur sē nūllum sapōrem sentīre, parvae autem tergō blandē ictō mulcendae erant. Rē tandem cōnfectā, circulō factō rūrsus cōnsēdērunt, et Mūrem ōrāvērunt ut quid amplius dīceret.

"Prōmīsistī vērō tē mihi historiam tuam narrātūrum esse," inquit Alicia, "et quā dē causā F et C ōdissēs." In aurem Mūris īnsusurrāvit, quod aliquantum timēbat nē eum dēnuō laederet.

Mūs, dum suspīrāns ad Aliciam sē convertit, dīxit: "Causa meōrum animī affectuum longa et trīstis est!"

Alicia, nōn rēctē intellegēns et caudam Mūris mīrāta intuēns, dīxit: "Cauda quidem tibi est longa; sed cūr eam trīstem esse dīcis?" Dum Mūs loquitur, Alicia dē hōc haerēbat; itaque hoc ferē putābat Mūrem narrāre:—

"Nerō mūsculō
inquit Ōlim
obviam cui
fit, 'Am-
bō causam
agāmus;
reum faci-
am *tē*.—
Mora
nōn est
agenda;
Est līs
īnferenda,
Nam
hodiē
sum ōti-
ōsus
plānē.'
Canī
reddi-
dit hic:
'Lītem
agere
sīc
Sine
jūdi-
cibus
sit
ināne
valdē.'
'Sōlus
arbi-
ter
erō!'
Ait
sub-
dolus
Nerō:
'Rem
tōtam
co-
gnō-
scam;
morte
pūni-
am
tē!'

"Nōn animadvertis!" Mūs Aliciae sevērē dīxit. "Quid cōgitās?"

"Ignōsce mihi," Alicia submissē dīxit: "Nempe pervēnerās ad quīntum flexum?"

"Nōndum quidem!" Mūs ācriter et īrātissimē dīxit.

"Nōdum!" inquit Alicia, quae cuilibet prōdesse semper avēbat. Studiōsē circumspexit. "Sine mē tē adjuvāre ad nōdum exsolvendum!"

"Minimē vērō!" inquit Mūs. Surrēxit et abscēdere coepit. "Mē offendis dum inepta ejus modī dīcis!"

"Tē nōn cōnsultō offendī!" Alicia sē excūsāvit. "Sed tū vērō facillimē īrāsceris!"

Contrā Mūs tantummodo mussitābat.

"Fac, sīs, reveniās et narrātiōnem cōnficiās!" Alicia eum revocāvit abeuntem. Cēterī autem concordēs omnēs clāmāvērunt: "Fac, sīs, reveniās!" Sed Mūs subīrātus abnuit et paulō citius recessit.

"Dolendum est quod manēre nōluit!" Psittacus suspīrāvit, simul ac Mūs ē cōnspectū abiit. Cancer grandis fēmina, occāsiōne datā, fīliae suae dīxit: "Fīlia mea, sīc monita cavē nē umquam īrācundiā exārdēscās!"

"Quīn tacēs, mamma!" Cancer juvenis mōrōsē inquit. "Nē ostrea quidem toleranter tē ferre possit!"

"Velim mē hīc Dīnam nostram habēre!" Alicia, clārā vōce meditāns, inquit. "*Ea* mox Mūrem retrō redūcat!"

"Sī mihi licet quaerere, quis est Dīna?" inquit Psittacus.

Alicia, quae dē fēle domesticā suā loquī semper avēbat, properanter respondit. "Dīna est fēlēs nostra. Perītius quam crēdās mūrēs arripit; et gaudeās sī eam aucupārī videās. Simul atque aviculam cōnspexit, eam vorāre cupit!"

Haec verba animōs omnium īnsigniter commōvērunt. Aliquae ex avibus statim abscessērunt. Pīca quaedam nātū grandis amiculō sē involvere coepit. "Certō mē oportet," inquit, "domum redīre; āēr nocturnus hālituī meō incommodat!" Vōce tremulā Carduēlis quaedam pullīs clāmāvit: "Venīte mēcum, parvulī: tempus est ut omnēs cubitum eātis!" Itaque, varia simulantēs, omnēs discessērunt. Alicia brevī sōla relicta est.

"Mē paenitet mentiōnem dē Dīnā fēcisse!" sibi maestē dīxit. "Nēminī hīc īnfrā ea grāta esse vidētur; suāvissimam tamen omnium fēlem eam esse exīstimō! Ō Dīna cāra, mīror num tē umquam dehinc vīsūra sim!" Deinde misera Alicia lacrimāre rūrsus coepit: admodum enim sōlitāria et trīstis sibi esse vidēbātur. Sed paulō post levem pedum crepitum procul iterum audīvit. Spē arrēctā circumspexit; haud enim sciēbat an Mūs cōnsiliō mūtātō redīret ut narrātiōnem perficeret.

Caput IV

Cunīculus Indicem Immittit

Cunīculus Albus erat, quī gradū citātō reveniēns sollicitē circumspectābat, quasi aliquid āmīsisset. Alicia eum sibi mussitantem audīvit: "Ducissa! Ō Ducissa! Per meōs pedēs! Per villōs sētāsque meās! Mē carnificī trādet. Quod vīverrae sunt vīverrae, nōn magis cōnstat. Mīror ubi ea dē manibus ēmīserim." Alicia cito conjectāvit eum flābellum et manicās candidās quaerere. Ea circā inquīrere cōmiter coepit; sed nōn in cōnspectū erant. Postquam in stāgnō natābat, omnia mūtāta esse vīsa sunt. Ātrium magnum, mēnsa vitrea, jānua parva plānē ēvānuerant.

Cunīculus, Aliciam circā quaerentem mox cōnspicātus, eī īrātē clāmāvit: "Dīc, Mariāna, quid hīc forīs agis? Cōnfestim curre domum, et mihi apportā pār manicārum et flābellum! Abī celeriter!" Tam territa erat Alicia ut statim in eam partem fugeret quō digitō mōnstrāvit; neque indicāre cōnāta est eum errāvisse.

"Mē esse ancillam suam putābat," sibi dīxit dum inde currit. "Valdē mīrābitur cum cognōverit quis sim! Sed mē oportet ad eum flābellum et manicās apportāre—sī saltem ea invenīre poterō." Dum haec dīcit, ad casulam mundam vēnit; in jānuā erat lāmina ex aere fulgidā, in quā nōmen "A. CUNĪCULUS" incīsum erat. Forēs nōn pulsāvit, sed intrāvit et scālās celeriter ascendit. Metuit enim nē vērae Mariānae obviam fieret, domōque ante expellerētur quam flābellum et manicās reperīre posset.

"Quam īnsolitum esse vidētur," Alicia sibi dīxit, "ut mandāta Cunīculī efficiam! Sine dubiō Dīna mandāta mihi mox dabit!" Animō fingere coepit quālia ēventūra essent. "'Alicia mea! Hūc venī statim, et parā tē ad deambulandum!' 'Jam veniam, nūtrīx! Sed hoc mūris cavum mihi custōdiendum est, nē mūs effugiat.'" Et porrō sibi dīxit: "Vix tamen Dīnae liceat ut intrā domum versētur, sī ea hominibus mandāta sīc det!"

Jam in cubiculum mundum penetrāverat. Hīc mēnsa erat prope fenestram, atque in eā flābellum et aliquot paria manicārum haedīnā alūtā factārum erant. Flābellum et pār manicārum sustulit; et cum in eō esset ut ē cubiculō discēderet, ampullam parvam prope speculum sitam cōnspicāta est. In eā nōn erat titulus verbīs "HAURĪ MĒ" īnscrīptīs; obtūrāmentō tamen dētractō Alicia ampullae labra admōvit. "Certē sciō fore ut quidpiam mīrī accidat, quotiēns aliquid edam aut bibam," sibi dīxit. "Itaque experiar quid haec ampulla effectūra sit. Spērō eam mē rūrsus magnam esse factūram; prōrsus mē taedet tam parvulam et exiguam esse!"

Hoc profectō ampulla perfēcit, citius quidem quam spērābat. Priusquam ampullae dīmidiam partem exhaurīret, caput ejus in lacūnar pressum est. Necesse eī erat sē inclīnāre nē cervīx frangerētur. Ampullam cito dēposuit. Sibi dīxit: "Id vērō satis est. Ut spērō, nōn amplius crēscam. Ut nunc est, per jānuam ēgredī nōn possum. Certē volō mē nōn tantum bibisse!"

Heu! Sērius eī erat quam ut hoc vellet! Usque crēscēbat; et mox eī necesse erat genibus in solō nītī. Brevī etiam spatium deerat ubi hoc faceret; itaque alterō cubitō contrā jānuam pressō, alterō post caput suum flexō recumbere tentāvit. Nihilō minus usque et usque crēscēbat; ad extrēmum brāchium per fenestram et pedem sūrsum in camīnum extendit. Sibi dīxit: "Quidquid accidat, nihil amplius jam facere possum. Quid mē fiet?"

Alicia fortūnā secundā ūtēbātur, nam ampulla magica nōn plūs potuit, et Aliciam nihilō majōrem fēcit. Molesta tamen et incommoda rēs erat; et quod maximē probābile esse vidēbātur eam numquam ē cubiculō excessuram esse, eō necessāriō maesta erat.

"Domī rēs multō jūcundius sē habēbant," misera Alicia sēcum reputābat, "tum enim nōn continuō major aut minor fīēbam, neque mūrēs et cunīculī mihi mandāta dabant. Paene mē paenitet in cunīculī cavum dēscendisse. Sed tamen ratiō hujus īnfrā vītae satis inūsitāta est. Quantum mīror quidnam mihi rē vērā acciderit! Quotiēns fābellās dē rēbus magicīs legere solēbam, rēs ejus generis numquam ēvenīre putābam. Nunc tamen tālis fābellae particeps sum. Librum vērō oportet aliquem dē mē scrībere! Et cum adolēverō, librum ipsa scrībam—sed jam adulta sum," maestē dīxit; "spatium nūllum saltem *hīc* est ubi amplius crēscam."

"Eritne autem," Alicia meditābātur, "ut numquam grandior nātū fīam? Quōdam modō id mihi sōlāciō erit, quod numquam anus erō; sed contrā semper discipula erō. Id quidem mihi nōn grātum sit!"

Sīc sibi respondit: "Stultissima Alicia! Quōmodo hīc quidpiam discere possīs? *Tibi ipsī* vix satis spatiī est, neque quidquam locī omnīnō librīs ad discendum aptīs!"

Itaque sēcum in utramque partem invicem disputābat, ut colloquium satis longum habēret. Sed paulō posteā aliquem forīs loquentem audīvit. Sēcum disceptāre dēstitit quō melius audīret.

"Mariāna! Mariāna!" vōx inquit. "Manicās hūc extemplō apportā!" Deinde in scālīs audiēbātur levis pedum crepitus. Alicia prō certō habēbat Cunīculum ad eam quaerendam venīre. Tantō tremōre adfecta est ut domum quateret. Omnīnō oblīta erat sē nunc mīliēs majōrem Cunīculō esse, et eum ergō timēre nōn dēbēre.

Mox Cunīculus ad jānuam accessit et eam aperīre cōnātus est. Sed aperīrī nōn potuit, quod intrō patefacienda erat, et contrā eam Aliciae cubitum firmē premēbātur. Alicia Cunīculum sibi dīcentem audīvit: "Circumībō igitur et per fenestram intrābō."

"Immō vērō nōn intrābis!" Alicia sēcum reputābat. Quiēscēbat dōnec Cunīculum sub ipsā fenestrā audīre vīsa est; tum subitō manū suā extentā āerem arripuit. Nihil quidem captāvit; sed ululātum et ruīnae strepitum et fragōrem vitrī cōnfrāctī audīvit. Inde conjectāvit accidere potuisse ut Cunīculus in plantārum saeptum vitrō cancellīsque opertum incidisset.

Deinde vōce īrātā Cunīculus clāmāvit: “Maecī! Maecī! Ubi es?” Tum quispiam, quem Alicia numquam anteā audīverat, dīxit: “Hīc profectō sum! Māla effodiō, domine!”

“Māla scīlicet effodis!” Cunīculus īrācundē dīxit. “Venī hūc, et exsolve mē hinc!” (Iterum fragor vitrī cōnfrāctī sonābat.)

“Dīc mihi, Maecī; quid est id quod in fenestrā vidēs?”

“Nempe brāchium est, domine!” (Verbum locūtus est “barrāchium”.)

“Brāchiumne dīcis, stulte? Quis umquam brāchium tantā magnitūdine vīdit? Fenestram vērō tōtam complet!”

“Profectō eam complet, domine; sed tamen brāchium est!”

“Ibi sānē nōn esse dēbet; abī igitur et id aufer!”

Deinde, post longum silentium, Alicia modo susurrōs nōnnumquam audiēbat. “Id prōrsus omnīnō mihi displicet, domine!” “Fac id quod tē jubeō, ignāve!” Postrēmō Alicia manum suam iterum extendit et iterum āerem arripuit. Tum vērō *duo* ululātūs ēditī sunt, et novus vitrī cōnfrāctī sonitus. “Multa quidem saepta vitrea esse oportet,” sēcum reputābat Alicia. “Mīror quid deinde in animō facere habeant. Quantum ad hoc attinet, ut mē ē fenestrā dētrahant, valdē velim id fierī posse! Nōlō quidem hīc intrā diūtius manēre!”

Aliquamdiū opperta nihil amplius audīvit. Tum dēnique strepitum plaustrī rotulārum atque vōcēs plūrimās colloquentium audīvit. Et colloquium ferē sīc habēbātur: “Ubi sunt scālae alterae?—At scālās singulās modo ferre jussus sum. Alterās Gāius habet.—Gāī! Hūc eās apportā, puer!—Eās hīc prope angulum attollite!—Immō eās prius colligāte—nōndum satis altē dīmidiō porriguntur.—Immō vērō satis aptē positae sunt. Nē nimis accūrātē ēgeris!—Em, Gāī! Prēnde hunc fūnem!—Tēctumne onus sustinēbit?—Cavēte illam tēgulam laxam!—Ai, disjungitur! Cavēte, vōs īnfrā!” (Fragor magnus audītus est.)—“Quisnam id fēcit?—Gāius, opīnor, erat!—Quis dē tēctō in camīnum dēscendat?—Nōn *ego* quidem! *Tū* dēscende!—*Egomet* nōlō!—Gāium dēscendere oportet—Audī, Gāī! Vīlicus tē jubet in camīnum dēscendere!”

Alicia sibi dīxit: “Itane est? Gāium igitur dēscendere oportet! Flāgitāre videntur ut Gāius omnia efficiat! Minimē velim Gāī onera suscipere; hic camīnus vērō angustus est, sed *putō* mē calce ictum dare posse!”

Pedem suum deorsum quantum poterat dētrāxit; deinde opperiēbātur usque eō dōnec animal exiguum cujuspiam generis prope sē suprā rādere īnscītēque dēscendere audīvit. “Gāius est,” inquit Alicia. Semel ācriter calcitrāvit; deinde exspectāvit dum aliquid accideret.

Prīmum vōcēs ūniversās clāmāre audīvit: "Ecce Gāius!" Tum Cunīculus sōlus clāmāvit—"Comprēnde eum, tū prope saepem!" Deinde silentium fuit; tum multae vōcēs cōnfūsē dīxērunt: "Caput ejus tollite—Nunc vīnum eī date—Nōlīte eum suffōcāre—Quid tibi fuit, ō bone? Quid tibi accidit? Explicā nōbīs omnia!"

Postrēmō īnfirma et strīdēns vōx audīta est ("Gāius est," inquit Alicia), "Vix quidem sciō—Benignē; id satis est. Melius nunc valeō—sed animō multō magis agitātus sum quam ut vōbīs dīcam—sōlum sciō mē velut catapultā prōpulsum esse, et seorsum velut facem caelestem ēmissum esse!"

"Ita vērō erat, amīce!" cēterī dīxērunt.

"Domus incendenda est!" Cunīculus inquit. Alicia quam maximā vōce clāmāvit: "Sī id fīet, Dīnam immittam ut vōs adoriātur!"

Statim ubīque silentium fuit. Alicia sēcum reputābat: "Mīror quid rē vērā dehinc factūrī sint. Sī saperent, tēctum auferrent." Paulō post animālia rūrsus passim movērī coepērunt. Cunīculus dīxit: "Vehes prīncipiō satis erit."

"Cujus reī vehes?" Alicia sibi dīxit. Brevī autem certior facta est: nam statim imber lapillōrum in fenestram īnfūsus est, quōrum nōnnūllī ōs ejus percussērunt. "Huic reī fīnem faciam!" sibi dīxit. "Vōs paenitēbit sī id iterum faciētis!" clāmāvit. Dēnuō silentium ubīque fuit.

Alicia admīrāta animadvertit omnēs lapillōs in solō jacentēs in placentās parvulās mūtārī. Prōpositum sagāx eī in mentem occurrit. "Sī ūnam ex hīs placentīs edam," ea reputābat, "certē meam altitūdinem mūtābit. Et cum majōrem mē facere nōn possit, mē minōrem, opīnor, facere dēbēbit."

Itaque, ūnā ex placentīs dēvorātā, ea cum gaudiō invēnit sē statim dēminuī incipere. Cum prīmum satis parva facta est, ut per jānuam trānsīre posset, ē domō cucurrit. Catervam animālium parvōrum et avium forīs opperīrī invēnit. Misellus Gāius, quī stēlliō erat, duābus caviīs fultus, in mediō erat. Eī aliquid dē ampullā dabant. Simul atque Alicia ē domō effūgit, omnēs effūsē ad eam accurrērunt. Alicia quam citissimē sē recēpit; mox incolumis in silvā dēnsā substitit.

"Prīmum mē oportet," sibi dīxit Alicia dum in silvā pervagātur, "in rēctam amplitūdinem crēscere. Deinde in illum hortum amoenum penetrāre dēbeō. Sīc optimē mē esse factūram putō."

Cōnsilium quidem optimum et simpliciter cōnstitūtum esse vidēbātur. Nōn tamen omnīnō percēpit quōmodo initium facere dēbēret. Dum omnia inter arborēs scrūtātur, lātrātum ācrem super caput suum audīvit. Citissimē igitur suspexit.

Catulus immānis erat, quī oculīs magnīs et rotundīs dēsuper eam dēspiciēbat, et ūnō pede molliter porrēctō eam tangere cōnābātur. "Misellum catulum!" Alicia blandē dīxit. Eum sībilō advocāre tentāvit. Simul autem maximē timēbat nē fame adāctus forte sē comederet, quamvīs maximē eī blandīrētur.

Paene necopīnāns rāmulum humō sustulit, et catulō praebuit. Catulus gannītū laetō omnibus simul pedibus statim in āerem saluit; rāmulum cupidē appetīvit, sēque eum vexāre simulāvit. Alicia, nē conculcārētur, post carduum magnum refūgit. Simul atque ultrā carduum appāruit, catulus rāmulum iterum appetīvit. Per caput pedēsque volūtātus eum arripere festīnāvit. Alicia sibi vidēbātur velut lūdum cum caballō facere. Nē forte sub pedibus ejus opprimerētur, circum carduum iterum cucurrit. Deinde catulus impetūs complūrēs in rāmulum faciēbat. Quotiēns irruēbat, prōrsum parvum, rūrsum longum spatium currēbat. Et semper raucē lātrābat. Dēnique procul resīdit; anhēlābat, et dē ōre lingua pendēbat, et oculī ejus magnī sēmiapertī erant.

Haec Aliciae vīsa est occāsiō idōnea effugiendī esse; statimque profecta usque currēbat dum dēfessa et exanimāta fuit, lātrātusque catulī procul vix audīrī potuit.

"Quam lepidus tamen catulus fuit!" inquit Alicia. Culmō rānunculī innīxa est, et foliō ejus prō flābellō ūsa est. "Jūcundum mihi fuisset eum āstūtiās docēre, sī—sī modo prōcēritāte aptā essem. Vae, paene oblīta sum mē oportēre recrēscere—at quōmodo id efficī potest? Sine dubiō aut edere aut bibere quidpiam dēbeō. Sed quid edam aut bibam? Id scīre maximī mōmentī est."

Maximī vērō mōmentī erat. Alicia flōrēs et herbam circumspectāvit; sed nihil vidēre potuit quod impraesentiārum idōneum ad edendum aut bibendum erat. Bōlētus magnus erat prope eam situs, aequē atque ea altus. Subter eum et utrimque et pōne eum spectāvit; tum eī occurrit operae pretium esse summum bōlētum etiam īnspicere.

In digitōs ērēcta cōnstitit, et suprā ōram bōlētī intuita est. Ibi prōtinus cōnspexit magnam ērūcam caeruleam, brāchiīs compressīs, in summō bōlētō sedentem. Fūmum tabācī ex tubulō longō placidē exsūgēbat; et cūrae prōrsus habēbat neque Aliciam neque aliud quidquam.

CAPUT V

Quod Ērūca Suāsit

Diū silentiō Ērūca et Alicia inter sē intuēbantur. Ērūca tandem tubulō tabācī dē ōre extractō vōce languidā et sēmisomnā eam adlocūta est.

"Quis es *tū?*" Ērūca inquit.

Hoc dictum nōn magnō stimulō erat ad sermōnem incipiendum. Alicia verēcundē respondit: "Id quidem in praesentī vix sciō, domina. Sciō saltem quis fuerim, cum hodiē māne surrēxī. Sed ex eō tempore mihi videor complūriēs esse mūtāta."

"Quid illō significās?" Ērūca sevērē dīxit. "Expedī sententiam tuam!"

"Vereor, domina, ut *meam ipsīus* sententiam expedīre possim," inquit Alicia, "quod vidēlicet ipsa nōn sum ego."

"Nōn videō," Ērūca dīxit.

"Timeō ut melius id explicāre possim," Alicia cōmiter respondit, "nam praesertim id ipsa nōn intellegō. Et tantum ūnō diē magnitūdine variāre animum perturbat."

"Minimē vērō," inquit Ērūca.

"Tibi fortasse nōndum hoc ūsuī vēnit," inquit Alicia, "sed cum in chrȳsallidem mūtāta eris (quod aliquandō scīlicet fīet), deinde posteā in pāpiliōnem, nōnne tibi satis mīrum vidēbitur?"

"Minimē hercle vērō," inquit Ērūca.

"Forsitan sēnsūs *tuī* nōn eīdem sint," Alicia dīxit. "Quod ad mē attinet, *mihi* maximē mīrum videātur."

"Tibi quidem!" Ērūca fastīdiōsē dīxit. "Quis tū es?"

Sīc sermō eīs ab integrō renovātus est. Molestius Aliciae erat quod Ērūca *tam* compressē loquēbātur; itaque fastīdiōsē vōce sevērā dīxit: "Putō tē prīmam dīcere dēbēre quis tū sīs."

"Quam ob rem?" dīxit Ērūca.

Hīc etiam Alicia haerēbat. Cum ea causam idōneam praebēre nōn posset, atque Ērūca mente ingrātissimā esse vidērētur, discēdere coepit.

"Revenī hūc!" Ērūca eam revocāvit abeuntem. "Aliquid volō dīcere quod magnī mōmentī est!"

Hoc saltem spem Aliciae excitāvit. Reversa igitur rediit.

"Nē īrāta sīs!" Ērūca dīxit.

"Idne est omne quod dīcere vīs?" inquit Alicia; īrācundiam suam quantum poterat cohibuit.

"Nōn est," inquit Ērūca.

Alicia exspectāre cōnstituit; nihil enim aliud eī erat quod faceret, et Ērūcam aliquid dictūram esse spērābat quod audīre opus esset. Aliquamdiū silentiō fūmum exsūgēbat Ērūca. Dēnique brāchiīs solūtīs tubulum rūrsus ōre dētrāxit. "Putāsne ergō tē mūtātam esse?" inquit.

"Vereor nē ita sit, domina!" inquit Alicia. "Reminīscī nōn possum quae solēbam—et iterum atque iterum fīō aut major aut minor."

"Quae reminīscī nōn potes?" dīxit Ērūca.

"Jam cōnāta sum '*Ut Apicula Industria*' recitāre, sed verba omnia aliter ēvēnērunt quam voluī," Alicia vōce trīstī respondit.

"Prōnūntiā '*Grandis es aevō, pater Gulielme*'," Ērūca dīxit.

Alicia, manibus compressīs, recitāre coepit: —

"Grandis es atque senex, pater, aevō," fīlius inquit,
"Crīnibus es cānīs; et caput est niveum.
Atquī stāre solēs capite īnfrā saepe reversō;
Prāvē nōnne facis, tam quia tūte senex?"

Respondit pater haec nātō: "Juvenis metuēbam
Nē cerebrī noxam mūnera susciperent;
Sed postquam mihi certum est esse nihil cerebellī,
Hoc iterum atque iterum multimodīs faciō."

"Tū grandaevus rē vērā es," juvenis repetīvit,
"Pingue sagīnātus fīs et obēsus adhūc;
At pedibus superīs retrō in portam saluistī—
Dīc, hoc īnsolitum quid modo significat?"

Cānitiem quatiēns dedit inde sagācia dicta:
"Ā puerō articulōs flexibilēs teneō,
Nardō hōc permulcēns (pretiō cistellula vēnit
Dēnārī); sine mē vēndere nunc aliquās."

"Dēbilibus maxillīs atque senīlibus," inquit,
"Sēbum mandere quīs, nīlque magis rigidum.
Sed tamen ānseris ossa vorāstī nōn sine rōstrō;
Omnia mandistī. Quōmodo tāle potes?"

Reddidit haec pater: "Ad lēgum studium puer īvī;
Rēs cum mātre tuā semper adhūc agitō.
Inde valēns mālīs factus nervōsque ego adeptus
Vim sermōnis eam perpetuō tenuī."

"Tē īnsuper aevō grandem," postibi sīc adulēscēns,
"Aequē nunc oculīs quis reputet stabilem?
At nāsō extrēmō rēctam anguillam tenuistī.
Vērō habilissimus es; solvere remne potes?"

"Ter respōnsa dedī nunc, ā tē terna rogātus;
Praestā plūs decoris;" sīc pater. "Id satis est.
Mēne opus est nūgās hās continuō tolerāre?
Ī cito; nam sī nōn, plūrima damna dabō!"

"Nōn rēctē prōnūntiātum est," Ērūca dīxit.

"Nōn vērō *omnīnō* rēctē, opīnor," Alicia timidē dīxit. "Aliquot verba nesciō quō modō mūtāta sunt."

"Tōtum ab initiō mendōsum est," Ērūca vehementer dīxit. Aliquantum temporis silentium fuit.

Ērūca prīma locūta est.

"Quā magnitūdine vīs esse?" rogāvit.

"Nōn multum meā interest quam magna sim," Alicia properanter respondit. "Sed, ut scīs, nōn sānē placet totiēs mūtārī."

"*Nōn* sciō," inquit Ērūca.

Alicia nihil dīxit. Nēmō umquam anteā eī totiēs contrādīxerat, et sēnsit sē īrācundam fierī.

"Contentane es, ut nunc tē habēs?" dīxit Ērūca.

"Domina, velim quidem *paululō* major esse, sī nōn recūsās," inquit Alicia. "Miserum est quemlibet trēs digitōs altum esse."

"Altitūdō maximē idōnea est," Ērūca īrātē dīxit, dum sē sūrsum tollit (exāctē trēs digitōs alta erat).

"Sed nōn ad hoc sum assuēta!" Alicia miserē sē excūsāvit. Et sēcum reputābat: "Utinam haec animālia nē animō tam facile offēnsō essent!"

"Tandem aliquandō ad id eris assuēta," dīxit Ērūca. Tubulō rūrsus in ōs īnsertō, dē integrō fūmum exsūgēbat.

Alicia nunc aequō animō exspectābat dum iterum loquī vellet. Mox Ērūca, tubulō dē ōre extractō, semel atque iterum ōscitāvit, et sē concussit. Tum dē bōlētō dēscendit et in herbam rēpsit. Dum abit, sōlum dīxit: "Alterum latus magnitūdine tē augēbit, alterum dēminuet."

"*Cujus* reī latus alterum?" Alicia sibi dīxit.

"Latus alterum bōlētī," Ērūca dīxit, velut sī Alicia clārā vōce rogāvisset. Deinde ē cōnspectū discessit.

Alicia, in cōgitātiōne dēfīxa, breve tempus bōlētum observābat; discernere cōnābātur duo ejus latera. Quoniam omnīnō rotundus erat, rem solvere difficillimum erat. Dēnique tamen brāchia sua, quantum poterat, circum bōlētum distendit, et manū utrāque fragmentum dē margine abrūpit.

"Utrum autem utrumque potest?" sibi dīxit; et experiendī causā dē dextrō fragmentō paulum gustāvit. Statim ictū vehementī īnfrā mentum suum percussa est. Mentum ejus pedēs suōs pulsāverat!

Quamquam hāc subitā mūtātiōne multum territa est, tempus nōn esse perdendum putābat; nam celeriter dēminuēbātur. Itaque cōnfestim partem frustī alterīus edere coepit.

Mentum ejus tam artē contrā pedem comprimēbātur ut ōs aperīre vix posset. Postrēmō autem hoc effēcit; et paulum frustī sinistrī dēvorāvit.

*   *   *   *

*   *   *

*   *   *   *

"Bene quidem est! Caput meum dēmum solūtum est!" Alicia laetē dīxit. Cito autem trepidāvit, nam umerī ejus, ut eī vidēbātur, ēvānuerant. Ut dēspexit, nihil vidēre potuit praeter collum praelongum, quod ē flūctibus frondis viridantis longē īnfrā jacentibus velut stirps surgere vidēbātur.

"*Quaenam* sunt omnia illa viridia?" Alicia dīxit. "Et quō umerī meī recessērunt? Ō manūs misellae, cūr vōs vidēre nōn possum?" Dum dīcit, manūs quassābat; at nihil cōnsecūtum est, nisi quod procul īnfrā frōns viridis agitābātur.

Quoniam ēvidenter manūs ejus sūrsum ad caput levārī nōn poterant, caput ad manūs suās dēmittere tentāvit. Reperīre gāvīsa est collum suum velut serpentem in dīversās partēs flectī. Id modo flexibus decōrīs ex suā sententiā deorsum curvāverat, et in frondem sē dēmersūra erat, quam cacūmina arborum, sub quibus dūdum vagābātur, esse invēnit, cum sībilus ācer eam sē recipere coēgit. Columbus magnus in faciem ejus involāverat, et violenter ālīs suīs eam pulsābat.

"Serpēns!" Columbus vōciferātus est.

"Serpēns *nōn* sum!" Alicia īrācundē dīxit. "Mitte mē!"

"Serpentem tē esse iterō!" dēnuō Columbus inquit. Vōce suppressiōre loquēbātur, et singultū quōdam addidit: "Quamquam omnibus modīs cōnātus sum, nihil tamen eīs placēre vidētur!"

"Nōn omnīnō conjectāre possum quid dīcere velīs!" ait Alicia.

"Nīdulārī cōnātus sum in summīs arboribus, deinde in rīpae aggeribus, deinde in saepibus," Columbus porrō negligenter dīxit. "Sed istī serpentēs! Nihil eīs acceptum est!"

Alicia magis magisque haesitābat; sed nihil amplius dīcere cōnstituit dum Columbus fīnem faceret.

"Satis molestum est ōva incubāre," ait Columbus. "Sed diū noctūque ab serpentibus praecavendum est! Trīnum vērō nūndinum somnum capere nōn possum!"

"Magnopere doleō quod vexātus es," ait Alicia. Intellegere incipiēbat quid Columbus in animō habēret.

"Et cum prīmum prōcērissimam silvae arborem incoluī, atque mē dēnique tūtum ab eīs fore statuī," Columbus vōce etiam magis ululantī porrō dīxit, "nīmīrum eī tortibus longīs dē caelō dēscendunt! Ei, serpēns!"

"At mē *nōn* esse serpentem iterō," ait Alicia. "Immō sum—sum—"

"Dīcdum! *Quid* es?" ait Columbus. "Videō tē aliquid fingere cōnārī!"

"Sum puellula," Alicia dubiē dīxit; nam quotiēns eō diē mūtāta esset reminīscēbātur.

"Scīlicet probābile est!" Columbus maximā contemptiōne dīxit. "Equidem ego complūrēs puellulās ōlim vīdī; nūllam autem tantā collī prōcēritāte! Nōn ita est; serpēns es, nē igitur negāveris. Fortasse nunc dīcēs tē numquam ōvum gustāvisse!"

"*Certē* ōva gustāvī," ait vērāx Alicia. "Sed puellae scīlicet aequē ac serpentēs ōva edunt."

"Id nōn crēdō," ait Columbus; "sī autem vērum est, necesse est eās serpentēs quōsdam esse. Nīl amplius habeō quod dīcam."

Aliciae quidem haec nōtiō nova erat; itaque aliquantulum temporis siluit. Columbus igitur porrō dīxit: "Certō sciō tē ōva quaerere. Nīl ergō meā interest puellane an serpēns sīs!"

"*Meā* autem magnī interest," Alicia cito dīxit. "Sed reāpse ōva nōn quaerō; atque sī ea quaererem, *tua* nōn cuperem, nam ōva incocta mihi displicent."

"Abī igitur!" Columbus mōrōsē dīxit, dum in nīdum suum cōnsīdit. Alicia inter arborēs quantum poterat sē dēmīsit; collum ejus identidem rāmīs implicābātur, et saepe eī necesse erat gradum sistentī id resolvere. Mox recordāta est sē frusta bōlētī in manibus adhūc tenēre; initiō cautē factō, prīmō alterum, deinde alterum admordēbat. Aliquandō prōcērior, aliquandō humilior fīēbat; dēnique ad jūstam altitūdinem sē dēminuit.

Diū ab jūstā amplitūdine longē āfuerat; itaque haec prīncipiō mīra vidēbātur. Brevī tamen tempore ad id adsuēta erat. Ut solēbat, sēcum loquī coepit. "Dīmidium cōnfectum habeō ejus quod in animō habēbam. Omnēs hae mūtātiōnēs mē perturbant. Numquam certum mihi est quā fōrmā ad tempus ūsūra sim! Nunc autem rediī ad jūstam magnitūdinem; nunc porrō illum hortum amoenum intrāre oportet. Mīror equidem quō modō id fierī possit!" Dum haec dīcit, in locum apertum ingressa est, ubi parva domus circiter quattuor pedēs alta erat. "Quīquī hīc habitant," sēcum reputābat Alicia, "haudquāquam dēbeō ad eōs accēdere dum tam magna sum. Nōn dubiē terrōrem eīs incutiam!" Frustum igitur dextrum dēnuō admordēre coepit; nec prius ad domum accēdere ausa est, dōnec ad novem digitōrum altitūdinem sē redēgit.

Caput VI

Porcus et Piper

Ad breve tempus stābat domum intuēns mīrānsque quid sē deinde facere oportēret, cum subitō pedisequus, vestītū famulī indūtus, ex silvā cucurrit. Alicia saltem eum pedisequum esse putābat, quod vestītū famulārī indūtus esset. Aliter, sī faciē ejus sōlā jūdicārētur, piscem eum esse dīxisset. Pedisequus magnō sonitū digitīs forēs pulsāvit. Alter pedisequus, similiter vestītus, eās reclūsit. Faciē rotundā oculīsque magnīs rānae similis erat. Alicia utrumque crispum capillīs calce sparsīs esse animadvertit. Cūriōsē studuit reperīre quid agerētur; itaque ē silvā ad auscultandum paululum rēpsit.

Prīmō Pedisequus Piscifōrmis dē ālā epistulam magnam, paene sibi aequālem, ēdūxit. Hāc alterī trāditā, sevērē dīxit: “Ad Ducissam: invītātiō ā Rēgīnā ad lūsiōnem pilae et malleī lūdendam.” Pedisequus Rānifōrmis, verbōrum strūctūrā paulum mūtātā, aequē sevērā vōce prōnūntiāvit: “Ab Rēgīnā: invītātiō ad Ducissam ad lūsiōnem pilae et malleī lūdendam.”

Deinde ambō colla profundē flexērunt, ita ut cirrī caesariēī eōrum implicātī sint.

Hoc Alicia tantum rīsit ut retrō in silvam eī currendum esset, nē audīrētur. Ubi posteā prōspexit, Pedisequus Piscifōrmis abierat; alter autem humī propter jānuam sedēbat, caelum stolidē intuēns.

Alicia ad jānuam timidē accessit, eamque pulsāvit.

"Duābus dē causīs nōn opus est jānuam pulsāre," inquit Pedisequus. "Prīmō, quod ego aequē ac tū citrā jānuam sum; deinde, quod intus tantus strepitus fit ut nēmō prōrsus tē audīre possit." Strepitus certō incrēdibilis intus fīēbat.

Ululātūs continuī et sternūmenta erant, et subinde fragor maximus audiēbātur, quasi patella aut cortīna cōnfrācta esset.

"Quōmodo ergō intrāre possum?" inquit Alicia.

"Operae pretium ōstium pulsāre fortasse esset," Pedisequus porrō negligenter dīxit, "sī jānua inter nōs esset. Sī tū, exemplī grātiā, *intus* essēs, pulsāre possēs, ut tē forās īre sinerem." Quamdiū loquēbātur, in caelum suspiciēbat, id quod Aliciae inurbānum esse vidēbātur. "Sed fortasse aliter facere nōn potest," sibi dīxit; "oculī ejus *tam* paene in summō capite sunt. Mihi saltem rogantī respondēre potest. Quōmodo intrāre possum?" clārā vōce iterāvit.

"Hīc residēbō" Pedisequus inquit, "ad diem crāstinum—"

Illō ipsō tempore jānua domūs aperta est; catīnus magnus, ad caput Pedisequī rēctē ēvolāns, nāsum ejus strīnxit, et contrā arborem quandam post tergum ejus cōnfrāctus est.

"—aut fortasse ad diem perendinum," Pedisequus porrō similī vōce dīxit, perinde ac sī nihil accidisset.

"Quōmodo intrāre possum?" clāriōre vōce Alicia iterāvit.

"*Dēbēsne* omnīnō intrāre?" inquit Pedisequus; "id sānē prīmum dījūdicandum est."

Sine dubiō vērum id fuit: at sīc commonērī Aliciae displicuit. "Odiōsum vērē est," sibi mussitāvit, "animālia omnia sīc disputāre. Satis est ad mentem cuivīs aliēnandam!"

Pedisequō opportūnum esse vidēbātur dictum suum aliquantum mūtātum repetere. "Hīc residēbō," inquit, "per intervalla ad diēs complūrēs."

"Sed quid *ego* dēbeō facere?" inquit Alicia.

"Quidquid tibi libet," inquit Pedisequus, et sībilum ēdidit.

"Ūsuī nōn est cum eō colloquī," Alicia dēspēranter dīxit. "Plānē fatuus est!" Jānuā apertā intrāvit.

Intrā jānuam prōtinus in magnam culīnam iniit, omnīnō fūmī plēnam. Ducissa in mediō in tripode īnfantem nūtriēns sedēbat. Coqua super focum sē inclīnābat, magnōque in lebēte jūs miscēbat.

"Nimium certē piperis in eō jūre est!" Alicia sibi dīxit; vix prae sternūmentīs loquī poterat.

Nimium profectō piperis erat in āere. Etiam Ducissa aliquandō sternūtābat; īnfāns vērō perpetuō aut sternūtābat aut ululābat. Sed coqua atque fēlēs magna quae ad focum jacēbat et rīsū ingentī rictum dīdūcēbat sōlae *nōn* sternuēbant.

"Velim, sīs, scīre," Alicia timidē dīxit (nam dubitābat num urbānum esset ut prīma loquerētur), "cūr fēlēs vestra sīc rictum dīdūcat?"

"Fēlēs Cestriāna est," inquit Ducissa, "rictum igitur dīdūcit. Porce!"

Hoc tantā vī violentiāque clāmāvit ut Alicia trepidāret. Statim autem intellēxit īnfantem, nōn sē, appellārī. Itaque animō collēctō porrō dīxit:—

"Nesciēbam fēlēs Cestriānās semper rictum dīdūcere: nesciēbam quidem fēlēs rictum dīdūcere posse."

"Omnēs id possunt," ait Ducissa, "et plēraeque id faciunt."

"Egomet nūllās cognōvī quae id faciant," Alicia cōmiter dīxit; grātum enim eī erat sermōnem cōnferre.

"Tūte nōn multum cognōvistī," inquit Ducissa; "nempe id cōnstat."

Tālis vōcis sonus Aliciae multum displicuit, itaque sē dē quāpiam aliā rē colloquī oportēre arbitrāta est. Dum dēlīberat quid disserere dēbēret, coqua, lebēte jūris dē focō remōtō, cōnfestim ad Ducissam īnfantemque omnia jactāre coepit quae manū contingere poterat. Ferrāmenta focī prīmum jactāvit; deinde passim vāsa culīnāria et catillōs et patellās. Ducissa haec neglēxit, etiam cum eīs percuterētur, īnfānsque tantum usque ululābat ut nōn omnīnō jūdicārī posset utrum ictibus laederētur necne.

"Tē *implōrō*, cavē nē quid noxae faciās!" Alicia clāmāvit, dum metū perculsa trepidat. "Vae! Nāsum *amōrum* laeditur!" Vās majus solitō praetervolāverat et nāsō īnfantem tantum nōn prīvāverat.

"Sī omnēs rēs suās cūrent, orbis terrārum multō celerius quam ut nunc est rotētur," Ducissa raucē fremuit.

"*Minimē* expediat hoc fierī," inquit Alicia, quae occāsiōne scientiae suae aliquō modō mōnstrandae gaudēbat. "Cōgitādum, quantum diem ac noctem id officiat. Orbis terrārum scīlicet hōrīs vīgintī quattuor circum axem circumvertitur—"

"Dīcisne dē asciīs?" ait Ducissa. "Caput ejus abscīde!"

Alicia coquam ānxiē observāvit, nē fortasse monitō oboedīret. Haec autem industriē jūs miscēbat, neque audīvisse vidēbātur. Itaque porrō dīxit: "Hōrīs, *crēdō*, vīgintī quattuor: aut fortasse duodecim—"

"Nē *mē* molestē exercueris!" inquit Ducissa. "Numerōrum mē semper taedet!" Deinde īnfantem rūrsus nūtrīre coepit, dum eī aliquid lallat atque post quemque versum eum violenter quatit:—

"Īnfantem tuum increpā,
Et tunde sternūtantem;
Molestus esse tantum vult,
Praebendō sē vexantem."

Chorus
(cujus participēs erant coqua et īnfāns):—
"Au! au! au!"

Dum Ducissa secundam versuum seriem cantat, īnfantem sūrsum deorsum jactābat. Misellus īnfāns tantum ululābat ut Alicia verba vix audīre posset:—

"Īnfantem meum increpō,
Et tundō sternūtantem;
Dēlectat namque piper hunc
Subinde approbantem."

Chorus
"Au! au! au!"

"Em! Tibi licet eum paulum fovēre, sī vīs!" Ducissa Aliciae dīxit; et simul īnfantem ad eam jēcit. "Oportet mē parārī ad lūsiōnem pilae et malleī lūdendam." Ex culīnā properāvit.

Coqua in eam abeuntem sartāginem conjēcit, quae tantum nōn eam percussit.

Alicia īnfantem difficulter comprehendit, nam parvulus erat fōrmā corporis inūsitātā, atque brāchia crūraque passim extendēbat. "Simillimus stēllae marīnae est," Alicia putābat. Ut eum comprehendit, parvulus miser cum strepitū velut māchinae vapōre impulsae anhēlābat. Usque sē contorquēbat et rūrsus corrigēbat; itaque breve tempus Alicia eum vix tenēre poterat.

Ut prīmum ea repperit quō modō eum portāre oportēret (necesse enim habēbat membra ejus nōdī modō flectere, deinde dextram aurem pedemque sinistrum artē retinēre nē sē expedīret), eum forās exportāvit. "Nisi hunc parvulum mēcum abdūcam," Alicia putābat, "perpaucīs diēbus eum interiment. Nōnne sī eum relinquam, homicīdium fīat?" Verba extrēma clārē locūta est; ad haec parvulus, quī sternuere jam dēsiit, grunnīvit. "Nōlī grunnīre;" ait Alicia, "nōn sīc omnīnō loquī dēbēs."

Īnfāns iterum grunnīvit. Alicia faciem ejus ānxiē contemplāta est, sī quid forte eī accidisset. Sine dubiō sīlus erat; rōstrum habēbat magis quam nāsum vērum. Et oculī ejus multō minōrēs fīēbant quam īnfantī esse solent. Aliciae prōrsus rēs tōta suspecta erat. "At fortasse tantum singultābat," sibi dīxit; et oculōs iterum contemplāta est, sī quae lacrimae eīs inessent.

Nūllae lacrimae inerant. "Sī tē in porcum conversūrus es, parvule," Alicia sēriō dīxit, "nōn amplius tē cūrābō. Mementō hoc!" Parvulus misellus dēnuō singultāvit (fortasse grunnīvit; rēs dījūdicārī nōn potuit). Aliquantum temporis silentiō prōgrediēbantur.

Alicia sēcum reputāre incipiēbat, "Sī hunc parvulum domum dūxerō, quid eō faciam?", cum is tam vehementer grunnīvit ut ea faciem ejus trepidē contemplārētur. Hīc nōn jam perperam jūdicārī potuit; nunc īnfāns nōn alius quam porcus erat. Aliciae absurdum quidem esse vīsum est animal ultrā portāre.

Itaque humum id dēposuit; et contenta erat quod id quiētē in silvam cucurrit. "Sī adolēvisset," sibi dīxit, "puer valdē dēfōrmis fuisset; in praesentia, ut putō, porcus satis fōrmōsus est." Dē puellīs aliīs et puerīs sibi nōtīs meditārī coepit, quī meritō porcī fierī possent.

"Sī modo rēcta ratiō nōta esset, quā mūtārentur—" sibi dīcēbat, cum necopīnātō Fēlem Cestriānam nōn procul in rāmō arboris sedentem cōnspexit.

Fēlēs, Aliciam cōnspicāta, sōlum rictum dīdūxit. Eī benigna esse vīsa est; sed, quod eī unguēs *longissimī* plūrimīque dentēs erant, eam plācāre sē dēbēre statuit.

"Dulcissima Fēlēs Cestriāna," timidē dīxit, cum nescīret num id nōmen Fēlī placēret. Ea tamen modo paulō lātius rictum dīdūxit.

"Eja! Cōmis adhūc est," putābat Alicia. Porrō dīxit: "Velīsne, sīs, mihi dīcere, quam in partem hinc mē īre oporteat?"

"Multum interest quō īre velīs," Fēlēs dīxit.

"Meā nōn multum rēfert quō eam—" inquit Alicia.

"Nōn ergō interest quā viā eās," Fēlēs dīxit.

"—dummodo *aliquō* perveniam," Alicia explānāvit.

"Nempe id certē perficiēs," inquit Fēlēs, "sī satis diū ambulābis."

Hoc negārī nōn potuit; itaque Alicia aliud rogāvit. "Quālēs hominēs hīc circā habitant?"

"Ab *hōc* latere," Fēlēs pede dextrō gesticulāta dīxit, "Petasōrum Vēnditor habitat; ab *alterō* latere" (pede sinistrō gesticulāta) "Lepus Mārtius habitat. Vīse utrumvīs; uterque mente aliēnātā est."

"At nōlō cum hominibus īnsānīs esse," Alicia inquit.

"Id dēvītārī nōn potest," Fēlēs inquit; "omnēs hīc īnsānī sumus. Ego īnsāna sum. Tū īnsāna es."

"Cūr exīstimās mē īnsānam esse?" Alicia rogāvit.

"Necesse est," inquit Fēlēs; "aliter hūc nōn adiissēs."

Alicia, quamquam id vērum argūmentum nōn putābat, persevērāvit: "Quōmodo scīs tē īnsānam esse?"

"Prīmum scīlicet," Fēlēs inquit, "canis nōn īnsānus est. Concēdisne hoc?"

"Nīmīrum," inquit Alicia.

"Canis porrō," Fēlēs prōcessit, "īrātus scīlicet fremit, contentusque caudam agitat. *Ego* contrā contenta fremō et īrāta caudam agitō. Ego ergō sum īnsāna."

"Murmur tē facere potius dīcam quam fremitum," ait Alicia.

"Quidlibet dīcās," ait Fēlēs. "Hodiēne cum Rēgīnā lūsiōnem pilae et malleī lūsūra es?"

"Id mihi pergrātum sit," Alicia dīxit, "sed nōndum vocāta sum."

"Mē ibi vidēbis," Fēlēs dīxit, et statim ēvānuit.

Cum Alicia rēbus inūsitātīs adsuēsceret, nōn multum eī mīrum id fuit. Locum etiam intuēbātur ubi fuerat, cum Fēlēs subitō dēnuō appāruit.

"Dīc, sōdēs," Fēlēs inquit: "Quid īnfante factum est? Rogāre paene oblīta eram."

"Mūtātus est in suem," Alicia placidē respondit, quasi Fēlēs convenienter nātūrae revēnisset.

"Id crēdēbam futūrum esse," Fēlēs dīxit, et rūrsus ēvānuit.

Alicia paulum exspectāvit, sī forte eam rūrsus vidēret. Cum nōn appārēret, post paulum in eam partem pergere coepit

quā Lepus Mārtius habitāre dīcēbātur. "Petasōrum vēnditōrēs antehāc vīdī," sibi dīxit. "Lepus Mārtius mē multō magis oblectābit. Fortasse, cum nunc mēnsis Majus sit, cerrītus nōn erit; nōn saltem tam īnsānus quam mēnse Mārtiō erat." Simul sūrsum cōnspexit: Fēlēs redierat, et in arboris rāmō sedēbat.

"Dīxistīne 'suem' an 'gruem'?" Fēlēs inquit.

"'Suem' dīxī," Alicia respondit. "Et molestum mihi est tē tam subitō appārēre et ēvānēscere. Vertīgine mē afficis!"

"Bene monēs!" Fēlēs dīxit. Nunc lentissimē ēvānuit; extrēma cauda prīma obscūrāta est, postrēmus rictus, quī aliquamdiū, postquam cēterum recessit, restābat.

"Fēlem sānē sine rictū saepe vīdī," Alicia meditāta est, "sed rictum sine fēle numquam vīdī! Rēs est omnium maximē singulāris quās umquam vīdī!"

Nōn multō longius prōgressa erat, cum domum Leporis Mārtiī cōnspexit. Cōnfīdēbat utique hanc domum vēram esse, quod fūmī ēmissāria in fōrmam aurium figūrāta erant atque tēctum villīs opertum erat. Tantā altitūdine erat domus, ut eī appropinquāre nōllet dum sinistrā bōlētī parte adrōsā ad altitūdinem circiter duōrum pedum aucta esset. Ad domum etiam tunc satis timidē accessit, dum sibi dīcit; "Fortasse Lepus Mārtius nihilōminus cerrītus sit! Haud sciō an potius ad Petasōrum Vēnditōrem vīsendum īre dēbuerim!"

Caput VII

Compōtātiō Dēmēns

Mēnsa ante domum sub arbore sita erat, ad quam Lepus Mārtius et Petasivēnditor pōtiunculam sūmēbant. Inter eōs Glīs sedēbat, plānē sōpītus. Cēterī ambō velut cubitālī eī innītēbantur, cubitīs suffultī, et suprā caput ejus loquēbantur. "Glīrī quidem incommodissimum est," Alicia reputāvit; "sed cum dormiat, id, opīnor, lentē perpetitur."

Quamquam mēnsa magna erat, omnēs trēs in ūnō angulō ūnā compressī erant. "Nūllus locus, nūllus locus est!" exclāmāvērunt, cum Alicia accēderet. "Satis locī superque est!" Alicia indignanter dīxit. In cathedrā magnā ad extrēmam mēnsam cōnsēdit.

"Mihine licet tibi vīnum praebēre?" Lepus Mārtius blandā vōce dīxit.

Alicia mēnsam tōtam circumspectāvit; nihil autem in eā praeter theam erat. "Nihil vīnī videō," inquit.

"Nihil est," Lepus Mārtius inquit.

"Cōmiter ergō nōn ēgistī cum vīnum obtulistī," Alicia īrātē dīxit.

“Cōmiter tū nōn ēgistī cum nōn vocāta cōnsēdistī,” Lepus Mārtius dīxit.

“Nesciēbam *tuam ipsīus* mēnsam esse,” Alicia inquit; “multō plūribus quam tribus apposita est.”

“Capillum tuum oportet tondērī,” Petasivēnditor inquit; aliquamdiū magnā cūriōsitāte Aliciam intuēbātur, tunc autem prīmum locūtus est.

“Ā contumēliīs tibi temperāre dēbēs,” Alicia sevērē dīxit; “maximē inhūmānum est.”

Hīc Petasivēnditor in eam obtūtum dēfīxit; hoc autem sōlum *dīxit*: “Quō modō corvus similis scrīniō est?”

“Eja! Nōs nunc oblectābimus!” Alicia sibi dīxit. “Mihi grātum est eōs aenigmata prōpōnere coepisse. Id quidem mē conjectāre posse crēdō,” clārā vōce addidit.

“Vīsne dīcere tē putāre tē explicātiōnem invenīre posse?” Lepus Mārtius dīxit.

“Ita plānē,” inquit Alicia.

"Dēbēs ergō dīcere quod animō intendis," Lepus porrō dīxit.

"Ita vērō faciō," Alicia cito respondit. "Animō saltem intendō quod dīcō—idem scīlicet est."

"Nōn omnīnō idem est!" Petasivēnditor dīxit. "Aequē possīs dīcere 'Videō quod edō' idem significāre atque 'Edō quod videō'!"

"Aequē possīs dīcere," Lepus addidit, "'Dīligō quod accipiō' idem significāre atque 'Accipiō quod dīligō'!"

"Aequē possīs dīcere," Glīs, in somnō ut vidēbātur loquēns, dīxit, "'Spīrō dum dormiō' idem significāre atque 'Dormiō dum spīrō'!"

"Tibi vērō ambō idem significant," Petasivēnditor dīxit. Inde sermō paulum intermissus est. Alicia omnia meditābātur quae dē corvīs scrīniīsque meminisse poterat. Minima quidem erant.

Petasivēnditor, silentiō ruptō, ad Aliciam versus prīmus dīxit: "Quotus diēs mēnsis est?" Hōrologium parvulum ē sinū extractum sollicitē obtuēbātur. Subinde id quatiēbat et ad aurem appōnēbat.

Alicia, postquam paulum cōgitāvit, dīxit: "Diēs quārtus est."

"Tempus ergō duōbus diēbus perperam id indicat," Petasivēnditor suspīrāns dīxit. "Tibi dīxī būtȳrum māchinātiōnī idōneum nōn esse," addidit, et īrātus Leporem Mārtium aspexit.

"At būtȳrum *optimum* fuit," Lepus dēmissē respondit.

"Nīmīrum mīculae pānis nōnnūllae quoque penetrāvērunt," Petasivēnditor queribundā vōce dīxit. "Tē nōn oportuit id cultrō quō pānem secuistī īnserere."

Lepus Mārtius hōrologium prehendit, maestēque id intuitus est. Tum in pōculum theae id immersit, et iterum intuitus est. Sed sōlum iterāvit id quod prius dīxit: "Optimum *vērē* būtȳrum fuit!"

Alicia, quae suprā umerum ejus cūriōsē spectābat, dīxit: "Quam inūsitātum hōrologium! Diem mēnsis mōnstrat, nōn tamen quota hōra sit!"

"Cūr id oporteat?" Petasivēnditor mussitāvit. "Num *tuum* hōrologium annum mōnstrat?"

"Minimē vērō," Alicia prōmptē respondit. "Etenim īdem annus tam diū immūtātus dūrat."

"Quantum ad *meum* attinet, plānē idem scīlicet cōnstat," Petasivēnditor dīxit.

Alicia prōrsus haesitābat. Dictum illīus nihil eī significāre vīsum est; grammaticē tamen certē dictum est. "Istud parum comprehendō," quam urbānissimē dīxit.

"Glīs dēnuō dormit," Petasivēnditor inquit. In nāsum ejus paulum theae calidae dēfūdit.

Glīs stomachōsē caput suum quassāvit. Oculīs etiam clausīs dīxit: "Prōrsus tibi assentior; in animō habēbam istud ipsum dīcere."

"Aenigmane hāctenus interpretāta es?" Petasivēnditor ad Aliciam versus dīxit.

"Immō vērō id conjectāre nequeō," Alicia respondit. "Quō modō solvitur?"

"Omnīnō nesciō," Petasivēnditor inquit.

"Neque ego quidem," Lepus Mārtius inquit.

Alicia jam dēfessa erat. Suspīrāns dīxit, "Tempore melius vōbīs ūtendum est quam ut aenigmatibus inexplicābilibus prōpōnendīs id perdātis."

"Sī tū Tempus aequē atque ego cognōvissēs," inquit Petasivēnditor, "nōn dīcerēs nōs *id* perdere. Tē oportet *eum* dīcere."

"Nōn intellegō," inquit Alicia.

"Nōn sānē intellegis!" Petasivēnditor contemptim renuēns dīxit. "Vērī simile est tē numquam cum Tempore collocūtam esse."

"Fortasse nōn," Alicia cautē respondit. "Sed, cum mūsicam discō, scīlicet tempus ictibus signāre dēbeō."

"Āh, rēs sīc explānātur," inquit Petasivēnditor. "Is ictūs ferre nōn vult. Sī autem eō familiāriter ūterēris, paene omnia convenienter cum hōrologiō tibi faceret. Exemplī grātiā, sī tertia hōra esset cum in lūdō discere inciperēs, cōnsilium Temporī tantum subjiciendum esset—et hōrologium temporis pūnctō prōtinus prōgrederētur. Hōra octāva esset et cēna parāta esset."

("Velim quidem eam nunc parātam esse," Lepus Mārtius sibi īnsusurrāvit.)

"Jūcundissimum vērō id esset," Alicia cōgitāvit. "Sed eā hōrā nōndum ēsurīrem."

"Prīncipiō fortasse nōn," inquit Petasivēnditor, "sed hōram octāvam prōtrahere possīs, tam diū quam velīs."

"Tūne eō modō rem geris?" Alicia rogāvit.

Petasivēnditor maestē renuit. "Egomet nōn sīc soleō!" respondit. "Mēnse Mārtiō proximō altercātiōnem inter nōs habuimus—paulō prius scīlicet quam ille cerrītus factus est" (Leporem Mārtium cochleāre mōnstrāvit); "—apud symphōniam magnificam ā Rēgīnā Cordium habitam accidit. Mihi necesse fuit cantāre

'Micā, vespertiliō!
Quidnam agās dubitō!'

Carmenne fortasse cognōvistī?"

"Aliquid simile audīvī," Alicia inquit.

"Carmen vidēlicet hōc modō prōcēdit," Petasivēnditor porrō dīxit:—

'Suprā mundum volitās,
Ferculumque simulās.
Micā, micā—'"

Hīc Glīs sē quassāvit, et in somnō cantāre coepit: "*Micā, micā, micā, micā—*" et totiēns hoc repetēbat ut ad eum coercendum necesse esset eum ācriter vellicārī.

"Atque prīmōs versūs vix cōnfēceram," Petasivēnditor inquit, "cum Rēgīna vōciferāta est, 'Tempus pessum dat! Caput eī abscīdite!'"

"Quam foedē ferōciterque ea ēgit!" Alicia dīxit.

"Et deinde porrō Tempus nihil quod ōrō mihi facere vult!" Petasivēnditor maestē perrēxit. "Nunc hōra ūndecima semper manet!"

Rem argūtē Alicia conjectāvit. "Illāne causā tot īnstrūmenta pōtātiōnis hīc apposita sunt?" ea rogāvit.

"Ita vērō est," suspīrāns Petasivēnditor dīxit. "Hōra pōtātiōnis semper est, neque interim satis temporis ad vāsa lavanda nōbīs est."

"Nempe ergō locīs mūtātīs mēnsam circumītis?" inquit Alicia.

"Ita prōrsus," inquit Petasivēnditor; "postquam vāsīs ūsī sumus, prōtinus pergimus."

"Sed quōmodo rem geritis ubi rūrsus ad initium redītis?"

"Aliā dē rē loquāmur," Lepus Mārtius ōscitāns dīxit. "Mē hujus reī taedet. Cēnseō ut puella nōbīs fābulam narret."

"Vereor ut fābellam nōverim," Alicia dīxit. Haec enim sententia eam conturbāvit.

"Tum in ejus vicem Glīs aliquid narret!" ambō clāmāvērunt. "Ē somnō excitā tē, Glīs!" Utrimque simul eum vellicāvērunt.

Glīs oculōs lentē aperuit. "Nōn dormiēbam," vōce raucā et languidā dīxit. "Audīvī vērō omnia quae vōs dīcēbātis."

"Fābulam nōbīs narrā!" inquit Lepus Mārtius.

"Sānē, sīs, narrā!" Alicia precāta est.

"Et quam citissimē," Petasivēnditor perrēxit, "aliter somnō vinciēris antequam fābulam terminēs."

"Ōlim fuērunt trēs parvae sorōrēs," Glīs festīnanter narrāre coepit; "et nōmina eīs erant Aemilia et Lūcia et Matilda; atque in puteō quōdam īmō habitābant—"

"Quō vēscēbantur?" Alicia inquit; studiōsa enim semper erat omnium rērum quae ad edendum et bibendum attinēbant.

"Sūcō ex saccharō factō vēscēbantur," Glīs, cum paululum cōgitāvisset, dīxit.

"At nōn scīlicet potuissent," Alicia molliter dīxit. "Vehementer aegrōtāvissent."

"Vērō aegrōtābant," inquit Glīs. "*Invalidissimae* erant."

Alicia sēcum reputāre cōnāta est, quō modō tam inūsitātē vīvī posset; sed hōc ratiōcinandō nimium conturbāta est. "Sed cūr in īmō puteō habitābant?" inquit.

"Accipe plūs theae," Lepus Mārtius gravissimē Aliciae dīxit.

"Nihil adhūc accēpī," Alicia animō exasperāta respondit. "Plūs igitur accipere nōn possum."

"Dīcī oportet tē *minus* accipere nōn posse," Petasivēnditor inquit. "Facillimum est *plūs* nihilō accipere."

"Sententia *tua* nōn rogāta est," Alicia inquit.

"Quisnam nunc contumēliās jacit?" Petasivēnditor triumphāns rogāvit.

Alicia incerta erat quid respondēre dēbēret; itaque theam et pānem būtȳrō illitum sibi cēpit. Deinde ad Glīrem versa iterum rogāvit: "Cūr in īmō puteō habitābant?"

Glīs rūrsus paulum cōgitāvit; tum dīxit: "Puteus sūcō dulcī plēnus erat."

"Tālis rēs nusquam exstat!" Alicia īrātissimē dīcere incipiēbat, cum Petasivēnditor et Lepus Mārtius "St! St!" dīxērunt, atque Glīs mōrōsē fātus est: "Sī cōmis esse nōn potes, tē ipsam fābulam absolvere oportet."

"Immō vērō perge, sīs!" Alicia dēmissē dīxit. "Tē dīcentem nōn rūrsus interpellābō. Fortasse sit *ūnus* ejusmodī puteus."

"Ūnus scīlicet!" Glīs indignāns dīxit. Ad pergendum tamen adductus est: "Itaque hae trēs parvae sorōrēs—artem dēdūcendī discēbant—"

"Quid dēdūxērunt?" Alicia, fidē violātā, dīxit.

"Nempe sūcum dēdūxērunt," Glīs jam nūllā dēlīberātiōne dīxit.

"Mihi opus est pōculō pūrō," Petasivēnditor interpellāvit. "Ūnō locō ulterius uterque prōgrediāmur."

Ita locūtus prōgressus est; Glīs eum secūtus est. Lepus Mārtius in Glīris locum successit; et Alicia invīta locum Leporis Mārtiī sūmpsit. Petasivēnditor sōlus locīs permūtātīs frūctum percēpit. Alicia quidem locum multō dēteriōrem quam ante accēpit, quod Lepus Mārtius modo urceolum lactis in patellam subverterat.

Alicia, quae Glīrem rūrsus laedere nōluit, cautissimē dīxit: "At rem nōn comprehendō. Unde sūcum dūxērunt?"

"Aquam possīs ex aquae puteō dūcere," inquit Petasivēnditor. "Nōnne ergō ex sūcī puteō, stulta, sūcum dūcere possīs?"

"Sed in fundō puteī ipsae erant," Alicia, eō dictō neglēctō, Glīrī dīxit.

"Erant profectō in fundō profundō," inquit Glīs.

Quō respōnsō Alicia sīc mente perturbāta est, ut Glīrem sine interpellātiōne aliquamdiū pergere sineret.

"Dēlīneāre discēbant," Glīs perrēxit. Ōscitāvit et oculōs tersit, nam somnō gravis fīēbat. "Et rēs omnis generis dēlīneāvērunt—omnia quōrum prīma littera 'M' est—"

"Quā rē 'M'?" inquit Alicia.

"Quā rē nōn 'M'?" inquit Lepus Mārtius.

Alicia siluit.

Glīs jam oculīs clausīs dormītābat, sed ā Petasivēnditōre digitīs vellicātus somnō excitātus est. Breviter exclāmāvit et perrēxit: "—quōrum prīma littera 'M' est, tālia quālia mūscipulās et māla et memoriam et magnitūdinem—etenim ferunt rēs magnā magnitūdinis similitūdine esse—vīdistīne umquam imāginem magnitūdinis?"

"Certē, sī respondēre dēbeō," Alicia magnā haesitātiōne dīxit, "nōn cōgitō—"

"Nōn igitur loquī dēbēs," inquit Petasivēnditor.

Hoc tam illepidum dictum Alicia tolerāre nōn potuit. Surrēxit et animō fastīdiōsō abscessit. Glīs extemplō somnō sē dedit; reliquōrum neuter omnīnō eam abeuntem observāvit. Semel et saepius respiciēbat sī forte eam revocāre vellent. Ut eōs postrēmum vīdit, Glīrem in theae ōllulam impōnere cōnābantur.

"*Illūc* saltem numquam redībō!" Alicia inquit, dum per silvam viam carpit. "Īnsulsissima omnium compōtātiō est quibus umquam interfuī!"

Quō dictō, statim animadvertit forem in ūnam ex arboribus introitum praebēre. "Hoc quidem inūsitātum est!" sibi dīxit. "Sed omnia hodiē inūsitāta sunt. Mē extemplō, crēdō, intrāre oportet." Itaque introiit.

Sē iterum in longō ātriō prope mēnsulam vitream esse invēnit. "Hōc tempore rēs mihi melius ēveniet," sibi dīxit. Prīmō parvā clāve aureā prehēnsā jānuam quae in hortum ferēbat reclūsit. Deinde bōlētum admordēre coepit (cujus partem in sinū cōnservāverat), dōnec circiter ūnum pedem alta fuit. Deinde per parvum trānsitum prōcessit, ac tunc postrēmō in hortō amoenō inter flōrēs purpureōs fontēsque frīgidōs fuit.

Caput VIII

Campus Lūsōrius Rēgīnae

Prope aditum hortī arbor rosārum magna sita erat. In eā rosae albae erant; sed trēs hortī cultōrēs eās pigmentō rubrō strēnuē pingēbant. Aliciae hoc mīrum esse vīsum est. Ad observandum eīs appropinquāvit; atque ubi ad eōs accessit quemdam eōrum dīcere audīvit: "Cavēdum, Quīnque! Nē mē pigmentō sīc cōnsperseris!"

"Mea culpa nōn fuit," Quīnque mōrōsē dīxit. "Cubitum meum Septem fodicāvit."

Ad hoc Septem suspexit. "Convenienter mōribus tuīs loqueris," dīxit. "Nempe aliōs semper culpās!"

"*Tibi* ita loquī nōn convenit!" Quīnque dīxit. "Modo heri Rēgīnam dīcere audīvī tibi caput praecīdī dēbēre."

"Quam ob rem?" inquit is quī prīmus dīxerat.

"Id *tuā* quidem nōn interest, Duo!" inquit Septem.

"Ejus *sānē* interest!" inquit Quīnque. "Et eī dīcam—Rēgīna īrāta fuit quod ille ad coquum tulipārum tūbera in bulbōrum vicem apportāvisset."

Septem pēnicillum suum humum dējēcit. Modo dīcere coeperat: "Omnium rērum inīquārum—" cum Aliciam eōs observāre animadvertit. Subitō moram fēcit; cēterī circumspexērunt, et omnēs corpora reverenter inclīnāvērunt.

"Velim, sultis, scīre," Alicia timidē dīxit, "cūr rosās istās pingātis?"

Quīnque et Septem silentiō Duo intuitī sunt. Duo vōce dēmissā loquī coepit: "Haec arbor scīlicet, Domina, rosārum *rubrārum* esse oportuit, at peccātō rosās albās plantāvimus. Quod sī Rēgīna cognōscat, capita certō nōbīs praecīdantur. Itaque quantum possumus operam damus, priusquam adveniat, ut—" Hīc Quīnque, quī adhūc hortum ānxiē contemplābātur, clāmāvit: "Rēgīna! Rēgīna!" Trēs hortī cultōrēs statim humum prōcubuērunt. Strepitus multōrum prōgredientium fuit. Alicia circumspexit, nam Rēgīnae videndae cupida erat.

Prīmō decem mīlitēs clāvās ferentēs accessērunt; omnēs fōrmā similī atque trēs cultōrēs erant, oblongā et plānā, manibus pedibusque ad angulōs affīxīs. Deinde vēnērunt decem nōbilēs figūrīs rhombōrum exōrnātī. Hī similiter atque mīlitēs bīnī simul prōgrediēbantur. Post eōs līberī rēgiī decem vēnērunt. Hī parvulī bīnī quoque saltātiōnis modō manibus jūnctīs mōbiliter accēdēbant. Omnēs figūrīs cordium exōrnātī erant. Deinde hospitēs, plērīque Rēgēs et Rēgīnae, vēnērunt, inter quōs Alicia Cunīculum Album agnōvit; is raptim timidēque loquēbātur, et omnia quae dicta sunt arrīdēbat. Ita praeteriit ut Aliciam nōn animadverteret. Barō Cordium secūtus est, quī corōnam Rēgis in sēricō pulvillō purpureō ferēbat. Ad extrēmum hujus pompae magnificae incessērunt RĒX ET RĒGĪNA CORDIUM.

Alicia incerta erat num trium cultōrum modō sē humum prōsternere dēbēret; sed recordārī nōn poterat sīc umquam apud pompās praescrīptum esse. "Praetereā quid opus esset pompā," sēcum reputāvit, "sī circumstantēs omnēs humum prōcumbere oportēret neque pompam vidēre possent?" Itaque in locō suō perstitit et exspectāvit.

Ubi pompa juxtā Aliciam pervēnit, omnēs substitērunt atque eam aspexērunt. Rēgīna sevērē dīxit: "Quis est haec?" Barōnem Cordium allocūta est, quī ad hoc tantum caput dēmīsit et surrīsit.

"Fatuus es!" Rēgīna fastīdiōsē dīxit. Tum ad Aliciam versa addidit: "Quod nōmen tibi est, puella?"

"Nōmen mihi (pāce tuā dīxerim) Alicia est, ō Rēgīna Augusta," Alicia officiōsē dīxit. Sibi autem addidit: "Nempe tantum chartae lūsōriae sunt. Mē nōn oportet eōs timēre!"

"Et quī sunt istī?" Rēgīna inquit. Trēs cultōrēs digitō mōnstrāvit, quī circum arborem rosārum jacēbant. Cum prōnī jacērent, tergaque eōrum similiter atque cēterae chartae picta essent, discernere nōn poterat utrum hortī cultōrēs an mīlitēs an nōbilēs an trēs ex suīs ipsīus līberīs essent.

"Cūr *mēmet* scīre oportet?" inquit Alicia, audāciae suae vix crēdēns. "Nīl *meā* id interest."

Rēgīna ōre rubicundō vultūque furiōsō velut fera saeva eam intuita est. Vōciferārī coepit: "Abscīdite caput ejus! Abscīdite—"

"Nūgās!" Alicia vōce clārā et firmā clāmāvit. Rēgīna siluit.

Rēx, manū brāchiō ejus impositā, timidē dīxit: "Cōnsīderā quid agās, dēliciae; ea sōlum puellula est!"

Rēgīna, īrātē āversa, Barōnī dīxit: "Inverte eōs!"

Barō ūnō pede dīligenter cultōrēs invertit.

"Surgite!" Rēgīna vōce clārā et argūtā dīxit. Trēs cultōrēs statim exsiluērunt, et Rēgem et Rēgīnam et līberōs rēgiōs et omnēs cēterōs salūtāre coepērunt.

"Dēsistite!" Rēgīna ululāvit. "Vertīgine mē adficitis." Tum ad arborem rosārum versa addidit: "*Quidnam* vōs hīc ēgistis?"

"Ō Rēgīna Augusta," Duo, genū simul nīxus, submissē dīxit, "cōnābāmur—"

"Equidem rem comprehendō!" Rēgīna dīxit, postquam rosās perscrūtāta est. "Abscīdite capita eōrum!" Deinde pompa prōgressa est. Trēs ex mīlitibus relictī sunt ad supplicium dē miserīs cultōribus sūmendum. Hī ad Aliciam perfūgērunt.

"Nē occīdāminī cūrābō!" inquit Alicia; et in magnam flōrum ōllam, quae propter sita erat, eōs imposuit. Trēs mīlitēs aliquamdiū eōs quaerentēs vagātī sunt; deinde cēterōs secūtī quiētē recessērunt.

"Eīsne capita praecīsa sunt?" Rēgīna clāmāvit.

"Pāce tuā, ō Rēgīna, capita eōrum absunt," mīlitēs respondērunt.

"Bene est!" Rēgīna clāmāvit. "Scīsne pilā et malleō lūdere?"

Mīlitēs silentiō Aliciam intuitī sunt; nam illam ēvidenter Rēgīna interrogāverat.

"Sciō vērō!" Alicia clāmāvit.

"Eāmus igitur!" Rēgīna vōciferāta est. Alicia sē comitem ad pompam conjūnxit, mīrāta quid deinde ēventūrum esset.

"S–s–sūdum hodiē est," vōx timida juxtā eam dīxit. Cum Cunīculō Albō ea ambulābat, quī oblīquīs oculīs eam ānxiē intuēbātur.

"Sūdum vērō," inquit Alicia. "Ubi est Ducissa?"

"St! St! Tacē!" Cunīculus vōce submissā cito dīxit. Simul retrō ānxiē circumspexit, deinde in digitōs pedum ērēctus, ōre ad ejus aurem appositō, susurrō dīxit: “Mortis damnāta est.”

“Quam ob rem?” Alicia inquit.

“Dīxistīne ‘Quam trīste!’?” Cunīculus rogāvit.

“Minimē vērō,” Alicia respondit. “Trīste esse id nōn omnīnō putō. Dīxī ‘Quam ob rem?’”

“Ea Rēgīnae alapam dūxit—” Cunīculus dīcere coepit. Alicia breviter cachinnāvit. “Āh, tacē!” Cunīculus susurrō trepidō dīxit. “Rēgīna tē audiet! Ducissa scīlicet tardius vēnit, et Rēgīna dīxit—”

“Assūmite loca vestra!” Rēgīna intonuit. Omnēs alius alium offendentēs passim discurrere coepērunt: post paulum tamen omnibus bene compositīs initium lūsūs factum est.

Campus lūsōrius omnium quōs umquam vīderat maximē inūsitātus Aliciae vīsus est. Plēnus līrīs sulcīsque erat. Pilae erant ērīnāceī vīvī, malleī phoenīcopterī vīvī; mīlitēsque oportēbat corporibus flexīs manibus et pedibus nītī, ut arcūs efficerent.

Prīncipiō difficillimum erat Aliciae phoenīcopterum cohibēre. Corpus ejus, pedibus dēpendentibus, sub ālā satis commodē colligere potuit; sed quotiēns collō bene dīrēctō capite ejus ērīnāceum īcere volēbat, is plērumque sē reflectēbat, inque ōs ejus tam dubiē suspiciēbat ut temperāre nōn posset quīn cachinnāret. Quotiēns autem capite ejus dēpressō rūrsus incipere volēbat, molestissimē ferēbat quod ērīnāceus explicātus inde rēpēbat. Praetereā aut līra aut sulcus plērumque impedīmentō erat, quamcumque in partem ērīnāceum immittere volēbat. Atque quoniam mīlitēs dēflexī saepenumerō surgēbant et aliōrsum in campō abscēdēbant, Alicia mox lūsum difficillimum esse statuit.

Lūsōrēs omnēs simul ūnā, nōn invicem, lūsērunt. Perpetuō rixābantur et dē ērīnāceīs inter sē pugnābant. Rēgīna, īrā saevā brevī accēnsa, coepit passim incēdere; et brevibus intervallīs clāmāvit “Abscīde caput ejus!”

Alicia magnopere sollicita fīēbat. Quamquam adhūc cum Rēgīnā nūllam contrōversiam habuerat, hoc prōtinus accidere posse cognōverat. "Tunc quid mē fiat?" sēcum reputābat. "Hī hominēs capitum praecīdendōrum studiōsissimī sunt. Mīrum quidem est quempiam adhūc vīvere!"

Illa circumspectābat quōmodo effugere posset, atque reputābat num invīsa ēvādere posset, cum speciem mīram in āere animadvertit. Prīmō multum ambigua haec erat; sed cum eam breve tempus observāret, rictum ōris quemdam esse intellēxit. "Fēlēs Cestriāna est," sibi dīxit; "nunc quidem cum aliquō sermōcinārī poterō."

"Quōmodo tē habēs?" Fēlēs dīxit, ut prīmum satis ōris eī fuit quō loquerētur.

Alicia exspectāvit dōnec oculī ejus cernī poterant; tum annuit. "Nōn ūsuī est cum eā colloquī," reputābat, "usque eō dōnec ūna saltem auris appāruerit." Brevī caput tōtum appāruerat; Alicia, phoenīcopterō dēpositō, dē lūdō narrāre coepit, gaudēbat enim audītōrem sibi esse. Fēlēs, satis corporis suī, ut vidēbātur, mōnstrātum esse rata, nihil amplius retēxit.

"Eōs inīquē lūdere opīnor," Alicia querulā vōce dīcere coepit. "Et omnēs inter sē tantum rixantur ut aurēs audientium obtundant. Nūllaeque lūdī lēgēs satis ōrdinātae eīs sunt—nēmō saltem eās colit. Quodque ūtēnsilia omnia vīva sunt, rem perplexam facit. Arcus ille, per quem proximē trānsīre dēbeō, ad extrēmum campum deambulat; et ērīnāceum Rēgīnae modo cursū expulissem, sī cum meum advenīre vīdisset nōn aufūgisset!"

"Rēgīnane tibi placet?" Fēlēs vōce submissā dīxit.

"Minimē vērō," inquit Alicia; "ea vel maximē—" Hīc Rēgīnam prope sē retrō stāre et auscultāre cōnspexit; itaque dīcere perrēxit "—sine dubiō victūra est: vix igitur operae pretium est lūsiōnem cōnficere."

Rēgīna subrīdēns praeteriit.

"*Quemnam* adloqueris?" Rēx inquit. Ad Aliciam accessit, et magnā cūriōsitāte caput Fēlis intuitus est.

"Ūnam ex amīcīs meīs—Fēlem Cestriānam," Alicia dīxit. "Velim ut inter vōs nōtī sītis."

"Speciēs ejus nōn omnīnō mihi placet," Rēx inquit; "sī vult tamen, meam manum ōsculārī eī licet."

"Potius nōllem," Fēlēs dīxit.

"Nē īnsolenter ēgeris," inquit Rēx, "nēve mē sīc intuita sīs!" Quō dictō post Aliciam regressus est.

"Fēlī licet rēgem intuērī," Alicia dīxit. "In librō quōpiam alicubi id lēgī, sed ubi id lēgerim nōn reminīscor."

"Nihilōminus ea submovenda est," Rēx firmē asseverāvit. Rēgīnam invocāvit, quae tum praeterībat. "Dēliciae meae! Cūrā, sīs, hanc fēlem submovendam!"

Rēgīna, cui ūna ratiō sōla quaestiōnēs omnēs, seu magnās seu parvās, dījūdicandī esset, nē respiciēns quidem clāmāvit: "Abscīde caput ejus!"

"Carnificem ipse addūcam," Rēx studiōsē dīxit, et celeriter discessit.

Alicia, cum vōcem Rēgīnae procul īrātē clāmitantem audīret, regredī statuit, ut lūsiōnis prōgressum spectāret. Rēgīnam trēs lūsōrēs mortis condemnāre jam audīverat, quod invicem nōn lūsissent. Rē tōtā animō perturbāta est; nam lūsus tam cōnfūsus fuit ut omnīnō nescīret quandō ipsa ictum dare dēbēret. Itaque ad ērīnāceum suum quaerendum dīgressa est.

Is cum aliō ērīnāceō pugnā dēcertābat. Propter hoc occāsiō bona darī Aliciae vīsa est alterum ērīnāceum alterō pulsandī. Molestum autem fuit quod phoenīcopterus ejus ad alterum latus hortī trānsierat. Alicia eum ibi in arborem subvolāre frūstrā cōnārī vīdit.

Cum tandem phoenīcopterum captum rettulisset, pugnā cōnfectā uterque ērīnāceus ē cōnspectū abierat. "Nōn multum interest," Alicia sēcum reputāvit, "quoniam in hōc latere campī nūllī arcūs reliquī sunt." Itaque eum sub ālā collēgit, et rediit quō paulō amplius cum amīcā suā colloquerētur.

Ad Fēlem Cestriānam reversa, magnam frequentiam circum eam coiisse mīrāta est. Carnifex et Rēx et Rēgīna simul loquentēs inter sē disputābant; cēterī silēbant et plānē ānxiī esse vidēbantur.

Simul atque Alicia vīsa est, omnēs trēs eam precātī sunt ut contrōversiam dījūdicāret. Sententiās suās eī iterāvērunt; cum tamen omnēs simul loquerentur, vix aegrēque discernere poterat quid dīcerent.

Carnifex sīc contendit: caput abscīdī nōn posse nisi corpus exstāret unde abscīderētur; nihil anteā ejus generis sē facere oportuisse, nec sē tot annōs nātum initium facere velle.

Rēx sīc contendit: caput cuipiam abscīdī posse cui caput esset, nec inepta dīcī oportēre.

Rēgīna sīc contendit: nisi quid quam citissimē factum esset, cūnctōs interficiendōs esse. (Quod ob postrēmum dictum omnēs vultū sēriō ānxiōque erant.)

Alicia, paulum meditāta, sōlum dīxit: “Fēlēs Ducissae est; illam cōnsulere dēbētis.”

“In carcere est,” Rēgīna Carnificī dīxit; “hūc eam addūc.” Carnifex sagittae modō āvolāvit.

Simul atque ille discessit, caput Fēlis ēvānēscere coepit. Cum autem ūnā cum Ducissā revēnisset, omnīnō obscūrātum erat. Rēx et Carnifex frūstrā passim cucurrērunt; reliqua caterva ad lūsum rediit.

CAPUT IX

Testūdinis Narrātiō Subditīvae

"Dīcere nōn possum quantum tē rūrsus vidēns gaudeam, dēliciae meae!" Ducissa dīxit; brāchiō Aliciae indulgenter sē implicuit, et conjūnctae prōgressae sunt.

Alicia eam tam mītem sē praebēre gaudēbat. Arbitrāta est sōlum fortasse propter piper eam tam atrōcem fuisse ubi in culīnā obviam inter sē factae essent.

"Cum ego ducissa fīam," sibi nōn tamen cum magnā spē dīxit, "nōn omnīnō piper in culīnā meā erit. Jūs vērō sine pipere jūcundum est—Piper fortasse hominēs ferventēs facit," perrēxit, multum gāvīsa sē novam lēgem repperisse, "et acētum eōs acerbōs facit—et chamomilla eōs amārōs facit—et saccharum aliaque ejus modī līberōs dulcēs faciunt. Velim quidem omnēs hoc scīre posse; tum scīlicet minus parcī essent—"

Ducissae jam plānē oblīta erat, cum necopīnāns eam in aurem loquentem audīvit. "Dē aliquā rē cōgitās, mellīta, loquī ergō neglēxistī. Jam nunc tibi hanc sententiam explicāre nōn possum, sed brevī reminīscar."

"Sententia fortasse nōn inest," Alicia dīcere ausa est.

"Nūgās, puella!" inquit Ducissa. "Omnibus rēbus sententia inest, sī modo eam invenīre possīs." Ita locūta Aliciae artius sē conjūnxit.

Aliciae sīc urgērī nōn grātum fuit, prīmō quod Ducissa invenustissima erat, deinde quod prōrsus satis alta erat ad mentum suum Aliciae umerō impōnendum. Mentum autem acūtissimum erat. Nē tamen illepida vidērētur, id quantum poterat tolerāvit.

"Paulō melius nunc lūditur," sermōnis continuandī causā dīxit.

"Ita est," inquit Ducissa, "et in eō haec sententia inest—'Amōris impulsū circumvolvitur mundus'!"

"Fertur tamen," Alicia susurrāvit, "id fierī sī omnēs sē aliēnīs rēbus immiscēre sibi temperent!"

"Paulum vērō interest utrum dīcātur," inquit Ducissa. Umerum Aliciae mentō acūtō fodicāvit, et addidit: "Et in illō haec sententia inest—'Ratiō sī adest, ōrātiō tibi nōn deerit'; sīve potius māvīs, 'Nummīs sī bene ūtāris, summīs nōn indigeās'."

"Quam studiōsa est sententiārum ubīque indicandārum!" Alicia sibi meditāta est.

"Fortasse mīrāris cūr tē nōn amplectar," Ducissa paulō intervallō dīxit. "Dubia scīlicet sum quō animō phoenīcopterus tuus sit. Vīn mē experīrī?"

"Fortasse tē mordeat," Alicia cautē respondit. Experīmentum quidem fierī prōrsus nōluit.

"Ita plānē est," inquit Ducissa; "et phoenīcopterī et sināpi mordent. Et ibi sententia inest, 'Avēs similēs cum similibus congregantur'."

"At sināpi avis nōn est," Alicia dīxit.

"Ut solēs, rēctē dīxistī," inquit Ducissa. "Quam lūcidē haec expōnis!"

"Rēs metallica, ut opīnor, est," ait Alicia.

"Ita est ut dīcis," Ducissa dīxit. Omnia Aliciae assentīrī velle nunc vīsa est. "Magnum sināpis metallum prope hunc locum est. Et in eō haec sententia inest—'Quō magis ad mēmet tālia pertinent, eō minus tibi est'."

Alicia, hōc dictō neglēctō, exclāmāvit: "Nunc cognōvī; holus rē vērā est, quamquam simile esse nōn vidētur."

"Tibi prōrsus assentiō," Ducissa dīxit. "Et in eō haec sententia inest—'Es quod esse videris'—vel, sī dictum simplicius māvīs,—'Numquam putā tē nōn aliud esse atque quod aliīs vidērī possit id quod fueris aut esse potueris nōn aliter fuisse quam ut id quod fueris eīs aliter esse vīsum fuerit'."

"Mē istud melius intellegere posse crēdō," Alicia cōmiter dīxit, "sī perscrīptum esset. Sed, ut loqueris, id vix comprehendere possum."

"Sī velim, multa hōc involūtiōra dīcere possim," Ducissa vōce laetā respondit.

"Nōlī, quaesō, cupere, sī molestum est, id cōpiōsius dīcere," Alicia inquit.

"Molestiae mentiōnem nōlī facere!" Ducissa dīxit. "Tibi dōnō dō omnia quae adhūc dīxī."

"Dōnum quidem vīlissimum!" Alicia sibi dīxit. "Gaudeō quod dōna nātālicia ejus modī nōn dantur!" Clārē autem loquī nōn ausa est.

"Cōgitāsne dē integrō?" Ducissa mentō acūtō Aliciae dēnuō impressō rogāvit.

"Jūre certē cōgitō," Alicia ācriter dīxit; paulum enim vexābātur.

"Jūre nōn aequiōre," inquit Ducissa, "quam quō porcī volant; et sent—"

Hīc, cum magnā Aliciae mīrātiōne, vōx Ducissae silēscere coepit dum etiam id verbum suum "sententiam" dīcit. Brāchium ejus, cum Aliciā jūnctum, tremuit. Alicia, cum suspexisset, Rēgīnam vīdit cōram eīs compressīs brāchiīs stantem; mināci velut tonitrus vultū erat.

"Nōnne sūdum hodiē est, ō Augusta?" Ducissa vōce submissā et dēbilī loquī coepit.

"Tibi hic admonitus certus estō," Rēgīna humum pede pulsāns dīxit: "aut tū removenda es aut caput tuum, atque extemplō quidem! Utrum māvīs?"

Ducissa vīvere māluit, et cōnfestim abscessit.

"Lūsum continuēmus," Rēgīna Aliciae dīxit. Alicia prae timōre nihil dīcere potuit; retrō ad campum lūsōrium lentē eam secūta est.

Cēterī hospitēs, quibus absentia Rēgīnae ūsuī fuerat, sub umbrā conquiēscēbant; ut prīmum autem eam vīdērunt, ad lūsiōnem retrō properāvērunt. Rēgīna enim sōlum dīxit eōs, sī moram vel minimam facerent, vītā prīvātum īrī.

Quamdiū lūdēbant, Rēgīna cum cēterīs lūsōribus perpetuō altercābātur, et clāmābat "Abscīdite eī caput—seu virō seu fēminae!" Eī quōs condemnāvit ā mīlitibus custōdītī sunt. Ad quod scīlicet hōs oportuit arcūs agere dēsinere. Itaque post circiter sēmihōram nūllī arcūs relictī erant; omnēsque lūsōrēs praeter Rēgem et Rēgīnam et Aliciam morte damnātī custōdiēbantur.

Tum Rēgīna exanimāta dēstitit et Aliciae dīxit: "Vīdistīne antehāc Testūdinem Subditīvam?"

"Nōn eam vīdī," Alicia inquit. "Nesciō quidem quid sit Testūdō Subditīva."

"Nempe ex eā Jūs Testūdinis Subditīvae parātur," Rēgīna inquit.

"Tāle animal numquam vīdī nec cognōvī," Alicia inquit.

"Venī ergō mēcum," Rēgīna inquit, "et ea historiam suam tibi narrābit."

Dum ūnā simul abscēdunt, Alicia Rēgem vōce submissā cūnctīs dīcere audīvit, "Vōbīs omnibus ignōtum est."

"Id sānē acceptum est!" sibi dīxit; nam mente turbāta est quod Rēgīna imperāvisset ut tot hominēs interficerentur.

Mox Grȳpī obviam factae sunt, quī in artō somnō in sōle jacēbat. (Sī nescīs quid Grȳps sit, pictūram contemplāre.) "Surge, ignāve!" Rēgīna dīxit, "et hanc puellam dūc ad Testūdinem Subditīvam, ut ejus historiam audiat. Mihi redeundum est, ut supplicia quaedam, quae imperāvī, sūmenda cūrem." Aliciā sōlā cum Grȳpe relictā, Rēgīna discessit. Speciēs hujus animālis Aliciae nōn multum placuit;

nōn tamen perīculōsius fore rata cum eō manēre quam saevam Rēgīnam sequī, opperiēbātur.

Grȳps in clūnēs surrēxit et oculōs manibus trīvit. Rēgīnam intuitus est dōnec ea ex cōnspectū fuit. Tum partim sibi, partim Aliciae rīdēns dīxit; "Nōnne jocus est?"

"Quidnam est jocus?" Alicia inquit.

"*Illa* profectō," Grȳps inquit. "Somnium merum ejus est; nēmō umquam scīlicet interficitur. Venī mēcum!"

"In hōc locō omnēs dīcere solent 'Venī mēcum!'," Alicia sēcum reputāvit, dum Grȳpem lentē sequitur. "Numquam vērō in vītā tot jussa mihi data sunt!"

Nōn longē prōgressī erant, cum Testūdinem Subditīvam procul in dorsō saxī maestam et sōlitāriam sedēre vīdērunt. Cum propius accēderent, Alicia eam suspīria miserābilia ēmittere audīvit. Ejus penitus eam miserēbat. "Quā rē dolōre angitur?" Grȳpem rogāvit.

Grȳps paene eīsdem verbīs atque anteā respondit: "Somnium merum ejus est; nūllō vērō dolōre opprimitur. Venī mēcum!"

Itaque ad Testūdinem Subditīvam accessērunt; haec, oculīs magnīs lacrimīs plēnīs eōs intuita, nihil dīxit.

"Haece puella," Grȳps inquit, "ea historiam tuam cognōscere vult."

"Ergō eī eam narrābō," Testūdō Subditīva vōce raucā dīxit. "Cōnsīdite ambō, nēve quid dīxeritis dum fīnem faciam."

Itaque cōnsēdērunt, et aliquamdiū nēmō locūtus est. Alicia sēcum reputāvit: "Nesciō omnīnō quō modō fīnem facere possit nisi initium fēcerit." Sed aequō animō opperiēbātur.

"Ōlim," Testūdō Subditīva dēnique dīxit, "Testūdō vēra eram."

Deinde diūtissimē silentium fuit. Grȳps subinde "Hjckrrh!" exclāmāvit, et Testūdō Subditīva singultūs gravēs ēdidit. Haud multum āfuit quīn Alicia exsurgeret et dīceret: "Grātiās tibi agō, domina, prō tuā narrātiōne lepidā"; sed facere nōn potuit quīn Testūdinem plūra dīcere *dēbēre* putāret. Itaque silēns sedēbat.

"Cum parvī essēmus," Testūdō placidius postrēmō perrēxit, quamquam nōnnumquam usque singultābat, "in lūdum in marī ībāmus. Magister Cētus senex fuit—eum Venīvāpulejum appellābāmus—"

"Cūr eum Venīvāpulejum appellāvistis?" Alicia rogāvit.

"Eum Venīvāpulejum appellāvimus quod nōbīs 'Venī, vāpulā!' tam saepe dīcere solēbat," Testūdō Subditīva īrātē dīxit. "Tū vērō stultissima es!"

"Tē pudēre oportet tam īnsulsum quaesīvisse," Grȳps addidit. Ambō silentiō sedentēs miseram Aliciam intuitī sunt. Haec pudōre perturbāta est. Dēnique Grȳps Testūdinī dīxit: "Perge, sodālis! Nōlī ita cūnctārī!"

Testūdō sīc perrēxit: "Ut dīxī, in lūdum in marī ībāmus, quamquam nōn fortasse crēdās—"

"Nōn vērō negāvī mē tibi crēdere!" Alicia interpellāvit.

"Immō vērō negāvistī," Testūdō Subditīva dīxit.

"Tacēdum!" Grȳps addidit, antequam Alicia iterum loquī posset.

Testūdō porrō locūta est: "Disciplīna nōbīs optima fuit; in lūdum vērō cōtīdiē ībāmus—"

"*Egomet* in lūdum cōtīdiē ībam," Alicia inquit. "Tantum eō glōriārī tē nōn oportet."

"Rēsne extrā ōrdinem didicistī?" Testūdō ānxiē quaesīvit.

"Certē," Alicia inquit, "linguam Gallicam et Mūsicam didicimus."

"Et Lavātiōnem?" Testūdō rogāvit.

"Minimē vērō!" Alicia indignanter dīxit.

"Aha! Tuus ergō lūdus nōn optimus fuit," Testūdō animō allevātō dīxit. "In *nostrō* autem lūdō in extrēmā ratiōne perscrīptum erat 'Lingua Gallica et Mūsica *et Lavātiō*—extrā ōrdinem computanda'."

"Lavātiōnis vērō nōn multum indigēbātis," Alicia inquit, "sī in īmō marī habitābātis."

"Ob pecūniae inopiam eam discere nōn poteram," Testūdō suspīrāns dīxit. "Sōlum seriem disciplīnārum certam secūta sum."

"Quālis fuit illa seriēs?" Alicia quaesīvit.

"Prīncipiō sānē artēs Neglegendī et Prōscrībendī didicimus," Testūdō Subditīva respondit; "deinde variās Arithmēticae partēs—Ambitiōnem, Sēductiōnem, Stultificātiōnem et Dērīsiōnem."

"Verbum 'Stultificātiō' numquam audīvī," Alicia dīcere ausa est. "Quid id significat?"

Grȳps mīrātus manūs ambās sustulit. "Numquamne vērō dē stultificandō audīvistī?" dīxit. "Nōnne scīs quid 'amplificāre' significet?"

"Sciō," Alicia dubiē dīxit; "'aliquid majus facere', opīnor, significat."

"Ergō," Grȳps prōcessit, "sī nescīs quid 'stultificāre' significet, stultissima vērō es."

Alicia adducta nōn est ut plūra rogāret; itaque ad Testūdinem versa dīxit, "Quid aliud vōbīs discendum erat?"

"Pistōria Ars scīlicet," Testūdō respondit, dum rēs digitīs ēnumerat; "Pistōria Ars, et antīqua et recēns, etiam Pelagographia; deinde Fricātūra—magister Fricātūrae conger senex erat, quī nūndinō quōque vīsēbat; *ille* nōs docuit Fricātūram et Artēs Collīneandī ac Soleīs Fingendī."

"Quālis fuit haec ars?" Alicia inquit.

"Ipsa vērō tibi mōnstrāre nōn possum," Testūdō dīxit. "Membra mihi nimis rigida sunt. Et Grȳps eam numquam didicit."

"Tempus mihi dēfuit," inquit Grӯps. "Audiēbam tamen Magistrum Linguārum. Monitor mōrōsus quidem erat."

"Eum numquam audīvī," Testūdō suspīrāns dīxit. "Eum Linguās Ōscitantem et Umbrāticam docēre ferēbātur."

"Ita vērō, ita vērō fuit," Grӯps quoque cum suspīriō dīxit. Utrumque animal pedēs ōrī praetendit.

Alicia, alīus reī disserendae cupida, dīxit: "Et quot hōrās cōtīdiē dictāta recinuistis?"

"Prīmō diē decem hōrās," inquit Testūdō, "proximō diē novem hōrās, et deinceps similī modō."

"Quam īnsolitō modō studia vestra ōrdināta sunt!" Alicia inquit.

"Eā dē causā dē tractandīs dictātīs loquimur," Grӯps dīxit, "quod cōtīdiē aliquid dētractum est."

Hoc novum quidem esse Aliciae vīsum est, et id paulum meditāta addidit: "Diē ergō ūndecimō vōs ōtiōsōs esse oportuit."

"Ōtiōsī profectō fuimus," Testūdō Subditīva dīxit.

"Diē igitur duodecimō quōmodo vōs gessistis?" Alicia studiōsē quaesīvit.

"Dē rēbus discendīs satis jam collocūtī sumus," Grӯps satis firmē interpellāvit. "Nunc eī expōne dē lūdīs nostrīs."

CAPUT X

Saltātiō Locustārum

Testūdō Subditīva suspīrium penitus trāxit, et oculōs pede retrō versō tersit. Aliciam intuēns loquī cōnāta est, sed aliquamdiū nihil prae singultibus dīcere potuit. "Labōrat quasi osse strangulārētur," Grȳps dīxit; et eam quatere et in tergō pulsāre perrēxit. Dēnique Testūdō vōce recuperātā, lacrimīs per genās mānantibus, dīxit:—

"Fierī potest ut tū sub marī nōn multum habitāveris—" ("Equidem nōn," Alicia inquit.) "—et forsitan numquam locustae nōta facta sīs—" (Alicia dīcere coepit "Gustāvī quondam—" sed cito morā factā dīxit "Numquam vērō".) "—itaque animō concipere nōn potes quam jūcunda Saltātiō Locustārum sit!"

"Nōn vērō," Alicia inquit. "Quālis saltātiō est?"

Grȳps dīxit: "Prīmō in ōrdinem in lītore vōs compōnitis—"

"In duōs ōrdinēs!" Testūdō clāmāvit. "Phōcae, testūdinēs, salmōnēs et cēterī dispōnuntur; deinde, pōlypīs omnibus remōtīs—"

"Ad id aliquantō temporis plērumque opus est," Grȳps interpellāvit.

"—bis porrō prōcēditis—"

"Quisque cum locustā comitante!" Grȳps clāmāvit.

"Ita vērō," Testūdō dīxit; "bis porrō prōcēditis, adversus comitēs cōnsistitis—"

"—et locustīs permūtātīs eōdem ōrdine recēditis," Grȳps addidit.

"—deinde scīlicet," Testūdō porrō dīxit, "conjicitis—"

"Locustās!" Grȳps clāmāvit, et sūrsum saluit.

"—tam procul in mare quam potestis—"

"Eās nandō cōnsequiminī!" Grȳps ululāvit.

"In marī pedibus superīs salītis!" Testūdō dīxit, et lascīviā effrēnātā saltāvit.

"Iterum locustās permūtātis," Grȳps clārissimē exclāmāvit.

"Ad lītus redītis, et—sīc prīma saltātiōnis pars fīnem capit," Testūdō, vōce subitō submissā, dīxit. Animālia ambō, quae perpetuō dēmenter circumsiluerant, maestē et quiētē cōnsēdērunt, et Aliciam intuita sunt.

"Sine dubiō est saltātiō venusta," Alicia timidē dīxit.

"Velīsne partem ejus vidēre?" Testūdō inquit.

"Sānē velim," inquit Alicia.

"Prīmam partem ergō experiāmur!" Testūdō Grȳpī dīxit. "Locustīs enim nōn opus est. Utrum cantāre oportet?"

"*Tū* quidem cantā," Grȳps dīxit. "Ego verbōrum oblītus sum."

Itaque circum Aliciam graviter saltāre coepērunt; subinde propius accēdentēs digitōs ejus calcāvērunt. Dum temporis signandī causā pedēs antīcōs jactant, Testūdō lentissimē et maestissimē haec cantāvit:—

"Paulō citius incēde," sīc alburnus cochleae,
"Urget enim mē delphīnus et incommodat caudae.
Ēn, locustae et testūdinēs adveniunt ācrēs!
Hae in sabulō exspectant—tū saltārene avēs?

Vīs an negās? Vīs? Recūsās? Saltātūra es?
Vīs an negās? Vīs? Recūsās? Nōbīs comes es!

"Quam jūcundum sit futūrum aegrē vix intellegēs
Cum locustās nōsque in mare jacient praecipitēs!"
"Nimis longē multō!" līmīs cochlea ait oculīs—
"Quam benignē!" dīcit et excūsat sē lascīviīs.
Nequit, nōn vult, nequit, nōn vult fierī comes;
Nōn vult, nequit, nōn vult, nequit fierī comes.

"Quidnam interest quam longē sit?" squāmōsus
reddidit.
"Nempe aliud trāns aequora cum ultrā lītus sit.
Quō longius ab Anglīs īs, eō propius Gallōs—
Intrepida, ō cochlea, sīs, comitāre nōs.
Vīs an negās? Vīs? Recūsās? Saltātūra es?
Vīs an negās? Vīs? Recūsās? Nōbīs comes es!"

"Grātiās vōbīs agō: tālem saltātiōnem spectāre jūcundum quidem est," inquit Alicia, multum gāvīsa fīnem saltandī factum esse. "Atque carmen lepidum quod dē alburnō cantāvistī multum mihi placuit."

"Āh, dē alburnō quidem," Testūdō Subditīva inquit, "nempe eōs vīdistī?"

"Certē!" Alicia inquit; "eōs saepe vīdī inter cēn—"

"Equidem nesciō ubi sit Tercēn," Testūdō dīxit, "sed sī eōs tam saepe vīdistī, certē scīs quālēs sint?"

"Putō quidem," Alicia sēcum reputāns respondit. "Caudam in ōre tenent, atque mīcīs pānis tōtī sunt cōnspersī."

"Quod dē mīcīs pānis dīcis, errās," Testūdō inquit; "mīcae enim omnēs in marī abluerentur. At vērō caudam in ōre tenent, dē hāc causā—" Hīc Testūdō ōscitāns oculōs clausit. "Causam eī explicā, et cētera," Grȳpī dīxit.

"Haec est causa," Grȳps inquit, "quod certum eīs erat locustās ad saltātiōnem comitārī. Itaque in mare praecipitēs jactī sunt. Itaque longē eīs cadendum erat. Itaque caudae eōrum ōribus tenāciter inhaesērunt. Itaque eās extrahere nōn poterant. Id est omne."

"Grātiās tibi agō," inquit Alicia. "Eō admodum dēlector. Numquam anteā dē alburnō tantum scīvī."

"Sī vīs, amplius eō tibi expōnere possum," Grȳps dīxit. "Scīsne cūr alburnus appellētur?"

"Dē eō numquam cōgitāvī," Alicia inquit. "Cūr sīc appellātur?"

"Caligās calceōsque cūrat," Grӯps vōce gravissimā respondit.

In hōc Alicia maximē haerēbat. "Quōmodo caligās calceōsque cūrat?" haesitāns repetīvit.

"Quid nam *tuōs* calceōs cūrat?" Grӯps inquit. "Ut aliter dīcam, quid eōs tam nitidōs reddit?"

Alicia, calceōs suōs intuita, paulumque sēcum meditāta, respondit: "Crēdō eōs ātrāmentō cūrārī."

"Caligae calceīque sub marī," Grӯps vōce gravī porrō dīxit, "alburnō cūrantur. Nunc dēmum intellegis."

"Et ex quō fīunt?" Alicia studiōsē rogāvit.

"Ex soleīs lingulācīsque scīlicet," Grӯps mōrōsius respondit. "Quīvīs piscis minūtus id tē docēre potuisset."

"Sī ego is alburnus fuissem," inquit Alicia, quae etiam dē carmine cōgitābat, "delphīnō dīxissem 'Retrō recēde, sīs! *Tē* nōbīs comitem fierī nōlumus!'"

"Necesse erat eum eōs comitārī," Testūdō dīxit. "Nūllus piscis, sī saperet, usquam sine cōnsiliāriō īre vellet."

"Itane vērō?" Alicia vōce vix crēdulā dīxit.

"Ita profectō," inquit Testūdō. "Sī enim piscis quīdam ad mē adveniat, mihique dīcat sē iter factūrum esse, eī dīcam 'Quōcum cōnsiliāriō ībis?'"

"Nōnne 'Quōcum cōnsiliō' dīcere vīs?" Alicia inquit.

"Quod dīcō, dīcere volō," Testūdō, quasi molestē id ferēns, respondit. Grӯps addidit: "Ēnarrā, sīs, quās novās rēs experta sīs."

"Vōbīs expōnere potuerim quae hodiē ā tempore mātūtīnō mihi acciderint," Alicia timidius respondit; "sed ad hesternī diēī rēs regredī ūsuī nōn est, quod tunc nōn eadem puella eram."

"Id omne explānā," Testūdō inquit.

"Immō vērō prīmō rēs gestās audiāmus," Grӯps parum toleranter dīxit; "omnia explānāre multō nimium temporis poscat."

Itaque Alicia eīs narrāre coepit omnia quae eī acciderant ex quō tempore Cunīculum Album prīmum vīdit. Prīncipiō quidem timida erat, quod ambō animālia, alterum in alterā parte, eam artē pressērunt, oculōsque et ōra maximē aperuērunt. At ut prōgrediēbātur, cōnfīdentior fīēbat. Audītōrēs usque silēbant dōnec narrāre coepit quō modō, dum Ērūcae "*Grandis es aevō, pater Gulielme*" prōnūntiat, verba omnia inter sē discrepāvissent. Tum Testūdō Subditīva spīritū altē ductō dīxit, "Id valdē mīrum est!"

"Id omne quam maximē mīrum est," Grȳps inquit.

"Omnia inter sē discrepāvērunt!" Testūdō commentāta iterāvit. "Audīre velim sī quid ea nunc prōnūntiāre cōnētur. Jubē eam initium facere." Grȳpem intuita est quasi eum in suā diciōne Aliciam tenēre putāret.

"Surge et prōnūntiā '*Ita verba ignāvī*'," Grȳps inquit.

"Quam arroganter haec animālia mandāta dant, dictātaque recitārī jubent!" Alicia sēcum reputāvit. "Nōn aliter fit quam sī nunc ipsa in lūdō essem." Surrēxit tamen, et carmen prōnūntiāre coepit; sed tantum dē Saltātiōne Locustārum cōgitābat ut vix scīret quid dīceret. Et verba maximē īnsolita ēvāsērunt:—

"Ita verba locustae: 'Pilōs dēbeō,
Nimis cocta, illinere nunc saccharō.'
Palpebrīs ut anas, sīc nāsō is ligat
Zōnam fībulāsque, pedēsque oblīquat.
Hilarissima actā perāridā vērō
Pristem animō aspernātur sevērō:
Affluente at aestū, ut pristēs annant,
Sonō tremulō vōcēs ejus palpitant."

"Id tōtum differt ab eō quod *ego* puer dīcēbam," Grȳps inquit.

"*Egomet* vērō id numquam anteā audīvī," Testūdō inquit; "sed nūgās merās tē dīcere putō."

Alicia tacuit; faciē manibus obtēctā cōnsīderat. Mīrābātur enim num quid umquam deinde convenienter nātūrae ēventūrum esset.

"Tū velim ea explānēs," Testūdō inquit.

"Ea explānāre nōn potest," Grȳps properē dīxit. "Perge posteram carminis partem recitāre."

"At quod dē pedibus ejus dīxistī," Testūdō dīcere persevērāvit. "Quōnam modō eōs nāsō oblīquāre potuisset?"

"Nempe prīmus saltātiōnis status est," Alicia inquit. Sed rem omnem minimē comprehendit, et dē quālibet aliā rē loquī māluit.

"Perge posteram partem recitāre," Grȳps iterāvit. "Sīc incipit: '*Hortum ejus praeterīvī*'."

Alicia recūsāre nōn ausa est; prō certō tamen habēbat omnia inter sē perperam ēvāsūra esse. Itaque vōce tremulā perrēxit:—

"Forte vīdī per hortum dum trānseō tardus
Ut scriblītae cum Strige cōnsors esset Pardus:
Pardus crustam et carnem et jūs arrogāvit,
Portiōnī at Strigī vās sōlum lēgāvit.
Tum Strigī in sinū permīsit cēlāre,
Scriblītā comēsā, grātīs cochleāre:
Sibi cultrum furcillamque Pardus captāvit,
Et prō ultimō ferculō—"[1]

"Quid opus est omnēs hās ineptiās repetere," Testūdō interpellāvit, "nisi, dum prōgrederis, eās explānās? Hoc multō maximē perplexum est omnium quae umquam audīvī!"

"Ita profectō; tē moneō ut dēsistās," Grȳps inquit. Itaque Alicia animō libentissimō dēsiit.

"Velīsne alteram partem Saltātiōnis Locustārum experiāmur?" Grȳps porrō dīxit. "An velīs Testūdō Subditīva alterum carmen tibi cantet?"

"Carmen quidem audīre mālim, sī Testūdō tam cōmis sit," Alicia tam cupidē respondit, ut Grȳps, hoc molestius ferēns, dīceret: "Hem, explicāre nōn possīs cūr alius aliī studeat! Ō bona, cantā, sīs, '*Jūs Testūdinis*'!"

1 Num Alicia hīc in animō habuit verba addere "Strigem vorāvit"?

Testūdō, suspīriō penitus tractō, vōce singultibus obscūrātā, hoc cantāre coepit:—

"Jūs ō venustum, ūber, virēns,
Patellā in calidā dēsidēns!
Quid ergā tālia sit fastūs?
Jūs vespertīnum, bellissimum jūs!
Jūs vespertīnum, bellissimum jūs!
Bel—lissimum jū—ūs!
Bel—lissimum jū—ūs!
Jū—ūs vespertī—īnum,
Bellum, bellissimum jūs!

Jūs ō venustum! Quis dīligit
Ferīnam, piscem, quidquid sit?
Quis nōn gaudeat jūs emēns
Maximō sēstertiī valēns,
Maximō sēstertiī valēns?
Bel—lissimum jū—ūs!
Bel—lissimum jū—ūs!
Jū—ūs vespertī—īnum,
Bellum, bellissi—MUM JŪS!"

"Versūs iterum repete!" Grȳps vōciferātus est. Testūdō tantum quod repetere coeperat, cum vōcēs procul clāmantium "Jūdicium nunc incipitur!" audītae sunt.

"Venī mēcum!" Grȳps clāmāvit; et manū Aliciae arreptā properē abscessit, nec fīnem carminis oppertus est.

"Quod jūdicium est?" Alicia dum currit, cum anhēlitū dīxit. Sed Grȳps tantum "Venī mēcum!" respondit, et celerius cucurrit. Interim ventō secundō advecta minus minusque clārē audīta sunt verba lūgubria:—

"Jū—ūs vespertī—īnum,
Bellum, bellissimum jūs!"

Caput XI

Quis Crusta Fūrātus Est?

Cum advēnērunt, Rēx et Rēgīna Cordium in soliō rēgālī sedēbant, magnā frequentiā circum eōs congregātā avium parvōrumque animālium, necnōn tōtā seriē chartārum. Barō ante eōs catēnātus stābat, mīlite in utrōque latere custōdiente; et prope Rēgem erat Cunīculus Albus, quī alterā manū tubam, alterā volūmen membrānae tenēbat. Ipsō in mediō jūdiciī mēnsa erat, in quā erat magna patella crustōrum: tam suāvia Aliciae vidēbantur ut vīsū ēsurīre inciperet. “Utinam jūdiciī fīnem faciant et cibum circumferant!” sibi dīxit. Nōn tamen erat spērandum hoc brevī ēventūrum esse; itaque ad tempus terendum omnia circum spectāre coepit.

Alicia, quamquam in jūdiciō numquam anteā fuerat, in librīs tamen dē eīs lēgerat. Grātum eī erat quod paene omnium ibi rērum nōmina nōverat. “Ille est jūdex,” sibi dīxit, “quod magnō capillāmentō indūtus est.”

Jūdex vērō erat Rēx; cumque corōnam super capillāmentō gereret (īnspice tabulam in prīmōre librō, sī vīs vidēre quōmodo factum sit), aliquantum incommodī perpetī vīsus est, eaque satis ineptā speciē erat.

"Illud autem est saeptum jūdicum," Alicia reputāvit, "et illōs duodecim animantēs" (dīcendum erat "animantēs", quod alia animālia, aliae avēs erant) "putō esse cōnsiliāriōs." Verbum "cōnsiliāriōs" bis terve subarroganter sibi dīxit; nam rēctē quidem opīnābātur paucissimās sibi aequālēs verbī significātiōnem omnīnō nōvisse. "Jūdicēs" tamen dīcere eī aequē condūxisset.

Duodecim jūdicēs omnēs dīligentissimē in tabulīs scrībēbant. "Quid agunt?" Alicia Grȳpī susurrō dīxit. "Jūdiciō nōndum inceptō, nihil profectō habent, quod īnscrībant."

"Nōmina sua īnscrībunt," Grȳps susurrō respondit, "nē ante fīnem jūdiciī ea oblīvīscantur."

"Quam stolidī sunt!" Alicia vōce clārā et vehementī dīcere coepit. At repente dēstitit; Cunīculus Albus enim exclāmāvit, "Omnēs quī in jūdiciō adsunt taceant!", atque Rēx, vitreīs oculāribus appositīs, sollicitē circumspectāvit cognōscendī causā quis loquerētur.

Alicia, tamquam eōs prope ā tergō īnspiceret, vidēre potuit jūdicēs omnēs in tabulīs "Quam stolidī sunt!" scrībere. Etiam perspexit quemdam jūdicem nescīre quibus litterīs verbum "stolidī" compōnere dēbēret, atque eī necesse esse vīcīnum rogāre ut sē certiōrem faceret. "Quanta cōnfūsiō scrīptūrae in tabulīs erit, priusquam jūdicium cōnfectum erit!" Alicia sēcum reputāvit.

Cuidam ex jūdicibus stilus erat strīdēns. Quod cum nīmīrum Aliciae intolerandum esset, circuitū conciliābulī factō mox occāsiōnem ejus stilō prīvandī invēnit. Id tam celeriter fēcit ut misellus jūdex (Gāius Stēlliō erat) nōn omnīnō comprehenderet quid eō factum esset. Itaque postquam eum ubīque quaesīvit, eī necesse fuit tōtum diem ūnō digitō scrībere. Quod minimē eī prōfuit, quod in tabulā nūlla nota impressa est.

"Praecō, recitā accūsātiōnem!" Rēx dīxit.

Statim Cunīculus Albus tubā ter cantāvit; tum volūmine membrānae explicātō haec recitāvit:—

"Rēgīna crusta coxit Cordium
Aestīvō diē placidō;
Fūrātus crusta Barō Cordium
Occuluit in abditō!"

"Sententiam vestram cōnsīderāte," Rēx jūdicibus dīxit.

"Nōndum, nōndum vērō!" Cunīculus properē interpellāvit. "Multa sunt prius agenda!"

"Citā testem prīmum," Rēx dīxit. Cunīculus Albus tubā ter cantāvit, et clāmāvit "Testis prīmus prōdeat!"

Testis prīmus erat Petasivēnditor. Alterā manū pōculum, alterā pānem būtȳrō illitum portāns intrāvit. "Domine Rēx, veniam petō," dīcere coepit, "quod haec importāvī; vērum pōtiōnem nōndum cōnsūmpseram cum citātus sum."

"Tē fīnem facere oportuit," Rēx inquit. "Quandō initium fēcistī?"

Petasivēnditor Leporem Mārtium intuitus est, quī manibus cum Glīre jūnctīs eum in jūdicium secūtus erat. "Ante diem sextum Īdūs Mārtiās, opīnor," inquit.

"Ante diem quīntum Īdūs Mārtiās," Lepus Mārtius dīxit.

"Ante diem quārtum Īdūs Mārtiās," Glīs inquit.

"Id īnscrībite," Rēx jūdicibus dīxit; jūdicēsque prōmptē diērum omnium numerōs in tabulīs īnscrīpsērunt. Deinde summam eōrum fēcērunt, et tōtum in dēnāriōrum sēstertiōrumque numerum redēgērunt.

"Dētrahe tuum petasum," Rēx Petasivēnditōrī dīxit.

"Nōn est meus," Petasivēnditor inquit.

"Eum ergō *fūrātus* est!" Rēx ad jūdicēs conversus dīxit. Hī statim id adnotāvērunt.

"Sunt mihi petasī quōs vēndam," Petasivēnditor porrō explānāvit. "Meōs nūllōs habeō. Petasivēnditor sum."

Hīc Rēgīna, vitreīs oculāribus appositīs, oculōs in Petasivēnditōre dēfīgere coepit. Hic pallēscēns inquiētusque tremere coepit.

"Dā testimōnium tuum," Rēx dīxit, "nēve timidus fueris, aliter supplicium summum īlicō dē tē sūmam."

Hoc testem laetificāre nōn omnīnō vīsum est. Dum in alternō pede vicissim stat, Rēgīnamque sollicitē intuētur, mente turbātā magnum fragmentum dē pōculō in locō pānis momordit.

Tunc vērō Alicia sēnsū inūsitātō adfecta est, diūque mīrāta tandem intellēxit quae causa esset. Prōcērior dēnuō fierī incipiēbat. Prīmō surgere et ē jūdiciō discēdere voluit; sed postquam rem amplius cōnsīderāvit, ubi erat remanēre statuit dum satis spatiī eī esset.

"Nōlī mē tam artē premere," Glīs dīxit, quī proximus eī sedēbat. "Vix spīrāre possum."

"Facere nōn possum quīn tē premam," Alicia verēcundē dīxit; "major fīō."

"Tibi nōn licet hīc majōrī fierī," Glīs inquit.

"Nē ineptiās dīxeris," Alicia audācius dīxit; "nempe tū quoque major fīs."

"Ita vērō; sed *ego* satis lentē augēscō," Glīs inquit, "nōn illō rīdiculō modō." Mōrōsē surrēxit et in alteram partem jūdiciī trānsiit.

Intereā Rēgīna perpetuō Petasivēnditōrem īnspectābat; atque commodum Glīs conciliābulum trānsībat cum ea ūnī ex appāritōribus dīxit, "Adfer indicem cantōrum quī proximō concentuī intererant." Petasivēnditor statim tantum tremuit ut calceī ambō eī excuterentur.

"Dā testimōnium tuum," Rēx repetīvit, "aut tē summō suppliciō adficiam, sīve timidus es sīve nōn."

"Ō Domine Rēx, homō miser sum," Petasivēnditor vōce tremulā dīcere coepit, "et prope septem diēs erant cum theam pōtāre coepī—et quod pānis tam tenuiter sectus est—et propter trepidātiōnem theae—"

"*Quidnam* trepidāvit?" Rēx inquit.

"*Initium* ā theā cēpit," Petasivēnditor respondit.

"T profectō est *initium* 'trepidātiōnis'!" Rēx īrācundē dīxit. "Num mē caudicem esse putās? Pergedum!"

"Homō miser sum," Petasivēnditor porrō dīxit, "et posteā plēraque trepidāvērunt—et Lepus Mārtius dīxit—"

"Nōn dīxī!" Lepus Mārtius properē interpellāvit.

"Dīxistī vērō!" Petasivēnditor inquit.

"Equidem negō!" Lepus Mārtius dīxit.

"Is negat," Rēx inquit; "omittite illud."

"At Glīs utique dīxit—" Petasivēnditor perrēxit, ānxiē circumspectāns sī is quoque negāret. Sed Glīs, somnō vīnctus, nihil negāvit.

"Post haec," Petasivēnditor perrēxit, "frusta plūra pānis secuī—"

"At quid Glīs dīxit?" ūnus ex jūdicibus rogāvit.

"Id reminīscī nōn possum," Petasivēnditor inquit.

"Tibi *necesse* est reminīscī," Rēx inquit, "aliter tē summō suppliciō adficiam."

Miser Petasivēnditor, pōculō et pāne dējectīs, in genū prōcubuit. "Ō Domine Rēx, homō miser sum," dīcere coepit.

"*Ōrātor* utique *miserrimus* es," Rēx inquit.

Hīc ūna caviārum applausit: statim ab appāritōribus suppressa est. (Quod hoc difficilius intellēctū est, vōbīs modo explānābō quōmodo effectum sit. Eīs erat magnus saccus carbaseus, cujus ōs līnīs ligārī poterat; in quem cum caviam praecipitem intrūsērunt, eī īnsēdērunt.)

"Gaudeō mē id efficī vīdisse," Alicia sēcum reputāvit. "In āctīs diurnīs, jūdiciīs fīnītīs, saepe lēgī, 'Nōnnūllī applaudere cōnātī sunt, quod cōnfestim ab appāritōribus suppressum est', neque umquam adhūc intellēxī quid id significāret."

"Sī nihil amplius dē rē cognōvistī, locō dēgredī tibi licet," Rēx perrēxit.

"Īnferius īre sānē nōn possum," Petasivēnditor inquit; "in solō jam stō."

"In solum igitur cōnsīdere tibi licet," Rēx respondit.

Hīc altera cavia applausit, et suppressa est.

"Ehem, āctum est dē caviīs!" Alicia sibi dīxit. "Nunc melius rem agēmus."

"Potius pōtātiōnem ad fīnem perdūcere mālō," Petasivēnditor inquit. Rēgīnam ānxiē contemplātus est, quae indicem cantōrum legēbat.

"Tibi abīre licet," Rēx dīxit; et Petasivēnditor ita festīnanter ex conciliābulō properāvit ut nē calceōs suōs induere quidem cōnārētur.

"—et caput eī forīs abscīdite," Rēgīna ūnī appāritōrum addidit; sed Petasivēnditor ex cōnspectū ēvānuerat priusquam appāritōrēs ad jānuam pervenīre possent.

"Citā testem proximum!" Rēx inquit.

Testis proxima Ducissae erat coqua. Pyxidem piperis manū tenēbat; priusque etiam conciliābulum intrāvit, Alicia eam esse conjectāvit quod omnēs prope jānuam repente simul sternuere coepērunt.

"Dā tuum testimōnium," Rēx inquit.

"Recūsō," coqua inquit.

Rēx Cunīculum Album ānxiē intuitus est; hic vōce submissā dīxit, "Ō Domine Rēx, tū *hanc* testem interrogāre dēbēs."

"Āh, sī dēbeō, dēbeō," Rēx maestō vultū dīxit. Et cum, manibus compressīs, in coquam oculōs dēfīxisset, fronte tam contractā ut oculī ejus vix vidērī possent, vōce gravissimā dīxit, "Quā ex rē crusta compōnuntur?"

"Ex pipere plērumque," coqua dīxit.

"Immō vērō ex sūcō dulcissimō," vōx somniculōsa post eam sonuit.

"Glīrem istum prehendite!" Rēgīna ululāvit. "Caput Glīrī istī abscīdite! Glīrem istum ē jūdiciō expellite! Supprimite eum! Vellicāte eum! Sētās eī abscīdite!"

Aliquamdiū omnēs in jūdiciō praesentēs passim conturbātī sunt, dum Glīrem ējiciunt. Cum dēmum sē collēgissent, coqua ex cōnspectū discesserat.

"Nūllīus mōmentī est," Rēx dīxit, velut cūrā relevātus. "Citā testem proximum." Rēgīnae susurrō addidit, "*Tū* vērō, dēliciae, testem proximum interrogāre dēbēs. Hoc mē dolōre capitis adficit!"

Dum Cunīculus Albus indicem īnscītē manū tractat, Alicia cūriōsē observābat, videndī causā quālis testis proximus futūrus esset. "Minimum enim testimōniī adhūc collēctum est," sibi dīxit. Quantum igitur attonita est, ut Cunīculus Albus summā vōce acūtissimē nōmen recitāvit "Alicia!"

Caput XII

Testimōnium Aliciae

"Adsum!" Alicia clāmāvit. Ob perturbātiōnem rērum plānē oblīta erat quam grandis admodum nūper facta esset; itaque tam properanter exsiluit ut extrēmā veste saeptum jūdicum subverterit. Jūdicēs omnēs in capita subter sedentium corruērunt, ibique passim prōstrātī jacuērunt. Quō acūtē commonefacta est sē paucīs ante diēbus orcam vitream pisciculōrum cāsū ēvertisse.

"Āh, veniam ā vōbīs precor!" vōce perturbātā exclāmāvit. Quam celerrimē eōs attollere coepit; nam cāsum īnfēlīcem pisciculōrum memoriā tenēbat, et opīniōnem incertam habēbat eōs, nisi statim collēctī in saeptum jūdicum repositī essent, esse moritūrōs.

"Quaestiō porrō agī nōn potest," Rēx vōce sevērā dīxit, "dōnec jūdicēs omnēs in loca sua restitūtī erunt. Ūnus quidem quisque," vehementer addidit, dum in Aliciā obtūtum fīgit.

Alicia, saeptum jūdicum intuita, vīdit sē propter trepidātiōnem suam Stēlliōnem capite inversō īnseruisse, misellumque animal caudam miserē hūc illūc jactāre, neque omnīnō movērī posse. Mox eum extrīcāvit et ērēctum stetit. "Nōn autem multum interest," sibi dīxit; "mihi vidētur eum in jūdiciō nōn magis ērēctum quam inversum prōfutūrum esse."

Ut prīmum jūdicēs ēversī sē aliquantum ex pavōre recēpērunt, tabulīs stilīsque repertīs eīsque redditīs, omnēs expositiōnem calamitātis perscrībere coepērunt. At Stēlliō, ut vidēbātur, attonitus ōre apertō modo sedēbat atque lacūnar conciliābulī spectābat.

"Quid dē hāc rē cognōvistī?" Rēx Aliciae dīxit.

"Nihil," inquit Alicia.

"Nihil *omnīnō?*" Rēx rogāre persevērāvit.

"Nihil omnīnō," inquit Alicia.

"Maximī mōmentī id est," Rēx, ad jūdicēs versus, dīxit. Hī commodum in tabulīs id perscrībere incipiēbant, cum Cunīculus Albus interpellāvit. "*Minimī* mōmentī id esse nīmīrum dīcere vīs, ō Domine Rēx," reverenter dīxit, dum frontem contrahit et ōs distorquet.

"Sānē *minimī* mōmentī id esse dīcere voluī," Rēx cōnfestim dīxit. Sibi vōce submissā amplius dīxit: "Maximī—minimī—minimī—maximī—" velut experīrētur utrum verbum melius sonāret.

Alicia aliōs jūdicum "maximī", aliōs "minimī" perscrībere vidēre poterat, quod juxtā eōs stāns tabulās eōrum īnspicere poterat. "Sed nihil interest," sibi reputāvit.

Tunc Rēx, quī in pugillāribus aliquamdiū industriē scrībēbat, exclāmāvit: "Conticēscite omnēs!", et ex librō suō recitāvit: "Ēdictum Quadrāgēsimum Secundum. *Omnēs amplius mīlle passūs prōcērōs ex conciliābulō discēdere oportet.*"

Omnēs Aliciam intuitī sunt.

"*Ego* mīlle passūs prōcēra nōn sum," Alicia inquit.

"Vērō es," Rēx inquit.

"Fermē duo mīlia passuum," Rēgīna addidit.

"At tamen nōn ībō," Alicia dīxit; "praetereā nōn est ēdictum certum. Id modo excōgitāvistī."

"Vetustissimum in librō ēdictum est," Rēx inquit.

"Igitur Ēdictum Prīmum esse oportet," Alicia dīxit.

Rēx expalluit et pugillārēs properanter complicāvit. "Sententiam vestram ferte," parvā et tremulā vōce jūdicibus dīxit.

"Plūs etiam testimōniī accipiendum est, pāce tuā dīxerim, ō Rēx," Cunīculus Albus, ubi cōnfestim surrēxit, dīxit. "Haec charta nūper forte reperta est."

"Quid in eā inest?" Rēgīna dīxit.

"Nōndum eam explicāvī," Cunīculus Albus dīxit, "sed epistula esse vidētur—ā reō ad quempiam scrīpta."

"Id factum esse necesse est," Rēx inquit, "nisi ad nēminem scrīpta est, quod vērō inūsitātum est."

"Ad quem īnscrīpta est?" ūnus jūdicum rogāvit. "Nōn omnīnō īnscrīpta est," Cunīculus Albus dīxit; "nihil rē vērā *extrīnsecus* scrīptum est." Haec dīcēns, chartam explicāvit; deinde addidit, "Epistula tamen nōn est: est seriēs versuum."

"Reīne manū īnscrīptī sunt?" alius jūdicum rogāvit.

"Nōn vērō," Cunīculus Albus inquit, "idque maximē mīrum est." (Jūdicēs omnēs haesitāre vīsī sunt.)

"Sine dubiō alīus cujuspiam modum scrībendī imitātus est," Rēx inquit. (Jūdicēs omnēs rūrsus hilarēs factī sunt.)

"Pāce tuā, ō Domine Rēx," Barō dīxit, "ego hōs versūs nōn scrīpsī, nec mē id fēcisse probārī potest. Nūllum nōmen eīs subscrīptum est."

"Sī nōmen tuum eīs nōn subscrīpsistī," Rēx ait, "tantō gravior rēs fit. Haud dubiē aliquid malī in animō habuistī; aliter virī probī modō nōmen tuum subscrīpsissēs."

Hīc in jūdiciō passim plausum est; nam id prīmum eō diē Rēx sollerter locūtus est.

"Nempe id sontem eum esse dēmōnstrat," Rēgīna dīxit; "itaque abscīdite eī—"

"Nihil vērō ejus modī dēmōnstrat," Alicia inquit. "Scīlicet nē cognōvistī quidem quālēs hī versūs sint."

"Eōs recitā," Rēx inquit.

Cunīculus Albus, vitreīs oculāribus appositīs, rogāvit: "Unde initium faciam, ō Domine Rēx?"

"Ab initiō incipe," Rēx vōce gravī dīxit, "et perge usque ad fīnem; tunc dēsiste."

Summō in jūdiciō silentiō, Cunīculus Albus hōs versūs recitāvit:—

"Ab hīs tē īsse ad illam audiō
Et tē dē mē eī dīxisse:
Mē esse illa probō animō
Ait, sed nāre nequiisse.

Eīs restāre mē is nūntiat
(Quod vērum est haud dubiē):
Sī illa autem rem nunc perferat,
Quid ergō inde fīat tē?

Ā mē ea ūnum, is duo ab hīs,
Nōs abstulimus amplius tria;
Ab eō vēnērunt ad tē grātiīs,
Etsī mī erant anteā ea.

Sī hāc rē forte implicēmur nōs,
Aut ego īnspērātē aut ea,
Tē fīdit esse solūtūrum hōs,
Eōdem modō quō fit anteā.

Priusquam morbī impetus eam
Percussit, opīnātus sum
Impedīmentō esse tē palam
Quod nōs dīvidat idque et eum.

Nē eam sciat māluisse hōs,
Et semper hoc arcānum fīat
Mē tēque inter proprium ambōs,
Quod nēmō praeter nōsmet sciat."

"Omnium quae adhūc audīvimus, hoc indicium maximī valet," Rēx, manibus inter sē lēniter permulsīs, dīxit. "Nunc igitur jūdicēs oportet—"

"Sī quispiam eōrum id explānāre potest," Alicia dīxit, "dēnārium eī dabō. *Mihi* vērō nē minima quidem vīs in eō inesse vidētur." (Tam grandis ea nūper facta erat, ut eum interpellāre nōn omnīnō timēret.)

Jūdicēs omnēs in tabulīs īnscrīpsērunt, "*Illa* nē minimam quidem vim in eō inesse exīstimat"; sed ex eīs nēmō chartam explānāre cōnātus est.

"Sī in eō nūlla vīs inest," Rēx dīxit, "multā molestiā sānē līberābimur, cum significātiōnem dēfīnīre nōbīs nōn opus sit. Haud tamen sciō," perrēxit, dum chartam in genū suō explicat et eam ūnō oculō contemplātur, "an in versibus aliquid tamen significātiōnis reperīre videar. '*Mē ait nāre nequiisse*'—num tū nāre potes?" ad Barōnem versus addidit.

Barō maestē id abnuit. "Num nāre posse videor?" dīxit. (Profectō *nōn* vidēbātur, quod tōtus ex chartā factus erat.)

"Hāctenus rēs cōnstat," Rēx dīxit; et versūs usque sibi mussitābat: "'*Quod vērum est haud dubiē*'—jūdicēs scīlicet prō certō id habent—'*Sī illa autem rem nunc perferat*'—illam Rēgīnam esse oportet—'*Quid ergō inde fiat tē?*'—Quid vērō!—'*Ā mē ea ūnum, is duo ab hīs*'—Nempe crusta sīc distribuit—"

"Sed porrō dictum est '*Ab eō vēnērunt ad tē*'," Alicia dīxit.

"Ita est; nam illīc sunt," Rēx ēlātē dīxit; et crusta in mēnsā digitō mōnstrāvit. "*Id* est omnium manifestissimum. Praetereā dīcitur—'*Priusquam morbī impetus eam percussit*'—num tū, dēliciae meae, umquam morbī *impetum* passa es?" Rēgīnae dīxit.

"Numquam vērō!" Rēgīna furenter clāmāvit. Simul ampullam ātrāmentī in Stēlliōnem jēcit. (Misellus Gāius in tabulā ūnō digitō scrībere dēsierat, cum eō nūllam notam imprimī invēnisset. Nunc rūrsus scrībere properanter coepit; ātrāmentō, quod dē ōre suō dēmānābat, quamdiū satis erat, ūtēbātur.)

"Num igitur *impetibilis* es?" Rēx dīxit. Circum conciliābulum subrīdēns spectāvit. Summum silentium fuit.

"Facētiās dīcō!" Rēx īrātē addidit. Omnēs rīsērunt. "Jūdicēs sententiam suam ferant." Jam vīciēns eō diē idem dīxerat.

"Minimē vērō!" Rēgīna dīxit. "Damnātiōnem prīmō, deinde sententiam prōnūntiāte."

"Nūgās gerrāsque!" Alicia clārē dīxit. "Absurdum est damnātiōnem prīmō prōnūntiāre!"

"Tacēdum!" Rēgīna furōre īnflammāta dīxit.

"Tacēre nōlō!" Alicia inquit.

"Caput eī abscīdite!" Rēgīna summā vōce exclāmāvit. Omnēs immōtī in locō mānsērunt.

"Quid mihi vōs estis?" Alicia dīxit. (Jam tunc prōcēritāte suā jūstā facta erat.) "Tantummodo estis chartae lūsōriae!"

Tum omnēs chartae in āerem subvolāvērunt et dēsuper in eam volitāvērunt. Et timōre et īrā commōta, cum brevī vōciferātiōne eōs prōpulsandō arcēre

cōnāta est. Hīc sē in rīpā flūminis jacēre intellēxit, capite in gremiō sorōris suae requiēscente; haec folia ārida molliter abstergēbat quae dē arboribus in faciem ejus dēsuper volitāverant.

"Excitā tē ē somnō, Alicia, dēliciae!" soror ejus dīxit. "Quam diū vērō dormiistī!"

"Āh, quam mīrum somnium somniāvī!" Alicia dīxit. Tum sorōrī suae omnēs eās rēs mīrās, dē quibus tū modo lēgistī, narrāvit, quantum eās reminīscī poterat. Cum fīnem fēcisset, soror eam ōsculāta dīxit: "Mīrum quidem profectō somnium erat. Nunc autem domum ad cēnam curre, nam sērum diēī jam est." Itaque Alicia exsurrēxit atque cito abscessit. Dumque currit, (quod nōn mīrandum fuit) sēcum reputāvit quam mīrum somnium fuisset.

Soror autem ejus, capite manū nīxō, ut relicta est quiēta usque sedēbat. Et sōlis occāsum contemplāns dē omnibus rēbus mīrīs quās parvula Alicia experta est cōgitāvit. Deinde et ipsa quōdam modō somniāre coepit: et somnium hujuscemodī erat:—

Prīmō dē ipsā Aliciā somniāvit. Iterum vīsa est cernere parvās manūs ejus in genibus implexās, et oculōs clārōs et ārdentēs in suīs dēfīxōs. Sonōs ipsōs vōcis Aliciae vīsa est audīre, et eam cernere caput solitō modō quassantem, ut crīnem pervicācem rejiceret quae vīsuī impedīmentō saepe fīēbat. Atque dum auscultat, aut auscultāre vidētur, omnia circumjacentia ab animālibus mīrīs, quae soror ejus parvula per somnum vīderat, frequentārī vīsa sunt.

Sub pedibus ejus herba alta susurrum ēdidit, ut Cunīculus Albus celeriter praeteriit—Mūs territus per stāgnum vīcīnum cum strepitū aquae natāvit—pōcula crepitantia Leporis Mārtiī et sodālium compōtātiōnis perpetuae participum audīvit. Rēgīnam vōce argūtā hospitēs suōs īnfēlīcēs necārī jubēre audīvit. Iterum īnfāns porcifōrmis in Ducissae genū sternūtābat, circumque eum patellae et scutulae frangēbantur. Iterum āēr plēnus erat sonōrum multōrum, Grȳpis ululātūs, strīdōris Stēlliōnis stilī, suffōcātiōnisque caviārum suppressārum. Hīs singultus longinquus miserae Testūdinis Subditīvae mixtus est.

Itaque oculīs clausīs usque sedēbat: et paene sē in Terrā Mīrābilī esse crēdēbat, quamquam sciēbat, sī modo oculōs dēnuō aperuisset, fore ut omnia in ūsitāta et cōtīdiāna retrō mūtārentur. Gnāra fuit, sī id fieret, fore ut sōlum herba ventō susurrāret, stāgnumque harundinibus flūctuantibus lēniter agitārētur; pōcula crepitantia in tintinnābula ovium tinnientia converterentur; Rēgīnae clāmōrēs argūtī vōx pāstōris juvenis fierent. Sīc sternūmentum īnfantis et ululātus Grȳpis omnēsque aliī sonitūs inūsitātī in fremitum permixtum pecuāriae aulae clāmōsae converterentur, et gravēs Testūdinis singultūs mūgītū boum procul audītō mūtārentur.

Postrēmō mente concēpit hanc suam sorōrem parvulam posterius ipsam fēminam adultam futūram esse; atque per tōtam aetātem mātūram animum puellārem, simplicitātis et cāritātis plēnum, cōnservātūram esse; aliōs autem parvōs līberōs circum sē collēctōs multa mīra narrandō participēs suae laetitiae et hilaritātis esse factūram; fortasse etiam eīs quae dē Terrā Mīrābilī jam prīdem somniāvisset narrātūram esse; et fore ut maestitiam illōrum simplicem vel gaudium ūnā sentīret, cum suae ipsīus vītae puerīlis aestātisque jūcundae meminisset.

"Dē fābulā inceptā"

A LATIN TRANSLATION OF
"ALL IN THE GOLDEN AFTERNOON"
BY ANTHONY COLLINS
2011

"Dē fābulā inceptā"

Anthony Collins

Haud rapidō cursū sērō perlābimur undās,
  aurea dum sōlis lūx radiātur aquīs:
rēmus ut exiguīs tractātur uterque lacertīs,
  exiguā pariter pellitur arte ratis.
Intereā sē nōs errantēs dūcere fingit
  exiguīs manibus quaeque puella suīs.

Crūdēlēs dominae, cūr tantum exposcere vīsum est
  somniferā nōbīs sōle nitente face?
Vix potuī flātū plūmam turbāre minūtam:
  ā mē fābellās hae petiēre tamen!
Et, ternae linguae cum congrediuntur alacrēs,
  dēficiēns contrā lingua quid ūna potest?

Jussa dat imperiōsa mihī nunc prīma puella:
  īnstat et ōre micāns, "incipe" dīxit "opus!"
Deinde secunda mihī mītī magis ōre locūta est:
  inque meīs dictīs spērat inepta fore.
Tertia nōn rārō fābellam abrumpere gaudet:
  aure bibit, verbīs obloquiturque meīs.

Mox studiō victae subitō siluēre sorōrēs,
ārdentēs animīs omnia verba sequī;
sēnsēre ut terrās trānsīret ficta puella
quae vīsūs multōs mīrificōsque tenent.
Seu volucrēs sīve illa ferās affātur amīcē,
vērōs mē cāsūs ēdere paene putant.

Omnia sīc narrō, fontēs sīc Hippocrēnēs
siccantur liquidī, firmus et usque loquor.
Dēnique dēfessus languentī vōce repugnō,
ut differre meum jam patiantur opus:
"Cētera," dīcēbam, "vōbīs ego sērius ēdam."
"Sērius, ēn," referunt, "jam tibi tempus adest!"

Fābula sīc sēnsim terrae mīrābilis exstat,
sīc studiō tōta est ēvigilāta meō,
ēventūsque novōs effīnxī sēdulus omnēs:
aspice, perfecta est fābula tōta mea!
Post, dum Phoebus equōs undīs immergit Hibērīs
gaudēmus, cursum dīrigimusque domum.

Sūme, age, fābellam, cārissima Alīcia, vānam;
cūncta manū mītī verba prehende mea,
quāque innectuntur puerōrum somnia, caecīs
Mnēmosynēs rēgnīs, haec ibi pōne, precor;
nōn secus ac textam siccātō flōre corōnam
quem prius externīs advena carpsit agrīs.

“Carmen in praefātiōnem Aliciae”

A Latin translation of
“All in the Golden Afternoon”
by Brad Walton
2011

"Carmen in praefātiōnem Aliciae"

BRAD WALTON

Auricomus medium Phoebus jam trānsiit orbem,
    lābimur et vacuī.
Parvula nam geminīs incumbunt brāchia rēmīs,
    artis egēna tamen;
adsimulatque viam mōnstrāre vagantibus etsī
    īnscia dextra viae.

Ō trias immītis, tālī sub tempore, tālī
    āere somniferō
(et quamvīs animā plūmam torpente tenellam
    vix agitāre queam),
fābellās petitis. Quī vōx obstāre valēbit
    ūna misella tribus?

Jam micat imperiōque potēns rēgīna sevērō
"incipe" Prīma jubet.
Plūrima fābellae dēmissā vōce Secunda
ōrat inepta forent.
Inter nec loquitur magis ūnāquāque minūtā
Tertia blanda semel.

Mox captae faciunt inopīna silentia fictō,
phantasiīsque petunt
ē somnīs genitam, mundī quae īnsuēta pererrat
et fera mīrificī,
congrediēns avibus lepidō sermōne ferīsque,
paene adhibentque fidem.

Semper, cum dēfit cōnfecta inventio, languēns
et mea mūsa jacet,
et thema dēfessus tenuī cōnāmine nītor
dēposuisse, loquēns
"Proxima quae restant in tempora differo," clāmant
"Proxima nunc tibi sunt!"

Sīc per tarda data est Mīrābilis ōtia Terra,
et fabricāta meō
singula rāra animō. Tamen est fābella perācta,
rēmigiōque domum
nostra caterva scapham pellit laetissima, Phoebus
dum petit ōceanum.

Alliciat mea tē, virgo, haec puerīlis opella.
Conde fovente manū
somnia quā memorēs dēvīncta ligāmine sacrō
contumulant puerī,
ut peregrīnantis sānctī dēcerpta remōtīs
marcida serta locīs.

"Pater Villus"

A Latin translation of
"Father William"
by Hubert Digby Watson
1937

"Pater Villus"

HUBERT DIGBY WATSON

"Jam tibi, Ville pater," dīxit puer, "est gravis aetās,
Cānitiē crīnēs ecce senecta tegit;
Sed capite inversō restās pedibusque levātīs,
Anne, precor, rēctō tālia mōre facis?"

"Incertā juvenis," respondit, "mente timēbam
Nē cerebrum ferret plūrima damna meum;
Sed quia nunc prōrsus cerebrum mihi deesse probātum est,
Gestibus hīs ūtī terque quaterque juvat."

"Magna quidem est aetās," dīxit, "quod et ante loquēbar,
Pinguius et corpus quam solet esse geris;
Cernuus at per portam es praecipitātus apertam
Dīc, precor, attonitō cūr facis ista, pater?"

Rettulit ille senex, crīnēs dum concutit albōs
"Flexile cōnābar corpus habēre puer;
Hōc oleōque meōs unguēbam prōvidus artūs;
Ēn solidō vēnit parvula pyxis—emēs?"

"Jam, pater, es vetulus; mālīs tibi rōbora dēsunt,
Atque adipem sōlum mandere dente potes;
Ānseris at corpus, rōstrum quoque et ossa, vorāstī,
Quōmodo perfectum est dīc, pater, istud opus?"

"Cum calidā jūris discēbam elementa juventā,
Mōs mihi erat causam quamque agitāre domī;
Sīc disceptandō cum conjuge rōbora nactī
Haeret adhūc mālīs prīstinus ille vigor."

"Magna tibi est aetās," dīxit, "neque crēderet ūllus
Posse oculōs firmē cernere, ut ante, tuōs;
Anguillam extrēmā sed rēctum in nāre tenēbās:
Unde, pater, tantum calliditātis habēs?"

"Jam satis est; tria enim data sunt respōnsa rogantī;
Furcifer!" exclāmat, "dēsine vāna loquī!
Mēne diem tōtum nūgās audīre volēbās?
Nē cito dēpellam vī pedis hujus, abī!"

"Canticum Ducissae"

A Latin translation of
"The Duchess' Song"
by Henry Charles Finch Mason
first published 1903

"Canticum Ducissae"

ē Ludovīcī Carolī "Nephelococcygiā"

HENRY CHARLES FINCH MASON

Vōce notēs puerum—nocuit clēmentia parvīs:
sternuerit, colaphās terque quaterque ferat.
Scīlicet ut tangat māternō corda dolōre
id facit, et gaudet displicuisse suīs.

Saepe puer linguae, seu sternuit ille sinistrā
seu dextrā, patitur verbera, saepe manūs.
Et meruit plāgās: quid enim praestantius illī
quam piper, est animō sī sapiente, sapit?

An overlooked Latin version of "The Duchess' Song"[1]

BY AUGUST A. IMHOLTZ, JR.

Greek and Latin versions, now almost a lost art, constitute a form of fugitive literature. By that, I refer not so much to their flight back into the "dead languages", but to their being rather a genre so elusive that it is very difficult to track down the versions bibliographically. Two works by Henry Charles Finch Mason are a good example of this. "*Nephelococcygia*", Finch Mason's Latin version of the Duchess's song from *Alice's Adventures in Wonderland*, and his wonderfully bizarre Τὸ φλαττόθρατ were, as with all of his Greek and Latin versions, published only posthumously in a work entitled *Compositions and Translations*, edited by H. H. West and published by the Cambridge University Press in

1 First published in *Jabberwocky*, Vol. 23, No. 1, Winter 1993/94, pp. 14–16. Reprinted here is the first half of the note, which concerns "*The Duchess' Song*"; the second half deals with Finch Mason's composition Τὸ φλαττόθρατ, a translation of a piece of nonsense by 18th-century playwright Samuel Foote. [ME, JW]

1903. Before finding a copy of that book in a stall at a farmers' market in Bethesda, Maryland, a few months ago, I had never heard of Finch Mason or his book. Only by glancing at the table of contents did I learn that Lewis Carroll was the original for one of his versions.

Henry Charles Finch Mason, born in 1856, entered Harrow in 1870 and won an open Classical Exhibition at Trinity College, Cambridge, three years before beginning his undergraduate residence there. At Trinity College he was awarded the Bell University Scholarship in 1876 and in 1878 both the distinguished Porson Prize for Greek Trochaic Verse and the Browne Medal for a Latin Ode. After teaching at Harrow, Middleborough, and Sherbourne, he became Assistant Classics Master at Haileybury in 1883 where he remained until his death in 1902.

The Duchess's Song, "*E Ludovici Caroli Nephelococcygia*",[2] is in Latin elegiac couplets, a metre not unsuited to the tone of the elegiac-like laments of the original verses. The rather forbidden word "Nephelococcygia" is but a Latinization of the Greek word νεφελοκοκκυγιά which means 'Cloud Cuckoo Town' and was coined by the Greek comic dramatist Aristophanes in his play "The Birds". The lines contain a few Virgilian echoes, such as "*terque quaterque*" even though the elegiac couplet is not a meter usually associated with Virgil. On the whole, it is a very nice version....

2 Strictly speaking the title of the song with this syntax ought to be "*Canticum Ducissae ē Ludovīcī Carolī Nephelococcygiā*" 'The Duchess' Song from Lewis Carroll's Cloud Cuckoo Town'. [ME, JW]

In search of Alice's brother's Latin Grammar[1]

BY SELWYN H. GOODACRE

> So she began: "O Mouse, do you know the way out of this pool? I am very tired of swimming about here, O Mouse!" (Alice thought this must be the right way of speaking to a mouse: she had never done such a thing before, but she remembered having seen, in her brother's Latin Grammar, "A mouse—of a mouse—to a mouse—a mouse—O mouse!") The mouse looked at her rather inquisitively, and seemed to her to wink with one of its little eyes, but it said nothing.

The Latin Grammar is one of three school books which are quoted from in *Alice's Adventures*. The other two have been found to be genuine 19th century books: the French lesson book, whose first sentence is "Où est ma chatte?" has been positively identified by Hugh O'Brien as *La Bagatelle*,[2] and R. L. Green[3] identified the Mouse's

1 First published in *Jabberwocky*, Vol. 4, No. 2, Spring 1975, pp. 27–30. [ME, JW]

2 "*Alice in Wonderland*—'The French Lesson Book'" by Hugh O'Brien, *Notes and Queries* December 1963. [SHG]

"driest thing I know" as a quotation from Haviland Chepmell's *Short Course of History*. It is most unlikely that the Latin Grammar is not similarly based in reality.

As with his other quotations, Carroll is careful to be accurate. Note that the order of cases in the declension is: Nominative, Genitive, Dative, Accusative, Vocative. The order in use today, by contrast, is: Nominative, Vocative, Accusative, Genitive, Dative, Ablative. The change-over came in the 1870s.[4]

The publishing history of *A First Latin Course* by William Smith charts the change-over clearly. This book was the first part of one of the most popular Latin courses of the second half of the 19th century; it was first published by John Murray in 1859, and is perhaps more generally known as *Principia Latina*—Part I (Part II was a Reading Book, and so on). The National Collection of Greek and Latin School Text-Books at Leeds University has a remarkable copy of the 18th edition 1875; it carries the following notice:

> To meet the requirements of all Schools, the Cases of the Nouns, Adjectives, and Pronouns, are arranged in this Edition both as in the ordinary Grammars and as in the Public School Latin Primer, together with the corresponding Exercises. The first thirty-six pages at the beginning of the book are therefore repeated, the only difference between them being the arrangement of the Cases. In this way the work can be used with equal advantage by those who prefer either the old or the modern arrangement.

So far, therefore, we find Lewis Carroll following the exact rules of usage. But the crucial question still remains—is

3 *Alice's Adventures in Wonderland and Through the Looking-Glass*, edited, with an introduction by Roger Lancelyn Green: Oxford English Novels, Oxford University Press 1971. [SHG]

4 At least, in Britain. In America, as well as in many European countries, the old order is still common (though often with variations in the placement of the vocative). [ME, JW]

there an actual contemporary Latin Grammar which uses 'Mouse' as a declension example?

The Latin for 'mouse' is *mus*, *muris*, a third declension masculine/feminine (common) noun. Immediately we come to problems; the difficulty is that *mus* is irregular. Only the most regular of nouns are normally considered for declension examples. *Mus* is irregular on two counts; firstly it is an exception to the rule that only neuter nouns of the third declension end in *-us*, and secondly it is an exception to the rule that imparisyllabic nouns (ones that change from one syllable to two from the nominative to genitive singular) have the genitive plural ending in *-ium* (the genitive plural of *mus* is *murum* instead of the expected *murium*). So it is unlikely that we are going to find *mus* used as an example noun, though we do of course find it *cited*—precisely because of its irregularities.

The only attempt to identify the Grammar has been by R. L. Green[5] who wrote:

> *Latin Grammar*: probably that by Benjamin Hall Kennedy first published in 1843 and frequently revised: best known as *The Public School Latin Primer* (1866; anon.) and *The Public School Latin Grammar* (1871; anon.), both developed from the original anonymous volume.

But Green does not say that the example noun *is* 'mouse'; and of course, it isn't. The bibliography of Kennedy's *Public School Latin Grammar* is complicated. Green's notes are basically correct; the original volume was Kennedy's *Elementary Latin Grammar*, first published anonymously in 1843. It was developed and refined into two separate books. The first was the *Public School Latin Primer*, 1866, frequently reprinted and then further revised by Kennedy as *The*

5 *The Diaries of Lewis Carroll*, edited by Roger Lancelyn Green: Cassell 1953. [SHG]

Revised Latin Primer, 1888. It was again revised by J. F. Mountford in 1930, and is still in use today. The second derivative was *The Public School Latin Grammar*, 1871, this was a similar success, reaching its eighth edition by 1893.

Nor is *mus* used in another successful Victorian text book—the *Eton Latin Grammar*. The Eton College Library has several editions of this title; but none has *mus*, *muris*, and nor does any other Latin Grammar in the University of Leeds Collection.

So far, therefore, a dead end. But it is not the end of the story. There is another, quite different, and intriguing possibility.

In the Lewis Carroll sale, after his death[6] item 420 was "Comic Latin Grammar, illustrations by Leech, first edition, 8vo., clean in original binding, 1840". This rather odd book is a ponderous so-called "comic" attempt to introduce the basic elements of Latin Grammar. The sub-title reads "a new and facetious Introduction to the Latin Tongue". There was a second edition, also in 1840. The anonymous author was Percival Leigh (1813–89), who was one of the first writers for *Punch*. The illustrations are by John Leech, a personal friend, and of course, a colleague on *Punch*. The general flavour can be appreciated in this short extract:

> NUMBERS OF NOUNS.
>
> Be not alarmed, boys, at the above heading. There are numbers of nouns, it is true, that is to say, lots; or, as we say in the schools, "a precious sight" of nouns in the dictionary; but we are not now going to enumerate, and make you learn them. The numbers of nouns here spoken of are two only; the singular and the plural.
>
> The singular speaks but of one—as later, a brick; faba, a bean; tuba, a trump (or trumpet); flamma, a blaze; æthiops, a nigger (or negro); cornix, a crow.

6 *Catalogue of Furniture, Personal effects and Library of the late 'Lewis Carroll'*. Hall & Son, Oxford 1898. [SHG]

The plural speaks of more than one—as lateres, bricks; fabæ, beans; tubæ, trumps; flammæ, blazes; æthiopes, niggers; cornices, crows.

Here it may be remarked that the cynic philosophers were very *singular* fellows.

Also that prize-poems are sometimes composed in very *singular numbers*.

It is exactly the sort of curious lesson book (like *La Bagatelle*) that Lewis Carroll would have delighted in making hidden reference to in *Alice's Adventures*.

Only one noun in *The Comic Latin Grammar* is declined in full (the reader is referred for the rest to "that clever little book, the Eton Latin Grammar"); the one singled out by the author is strangely noteworthy. On page 29 we read:

Although we are precluded from going through the whole of the declensions, we cannot refrain from proposing, "for the use of schools," a model upon which all substantives may be declined in a mode somewhat more agreeable, if not more instructive, than that heretofore adopted.

Exempli Gratiâ.
Musa mus*æ*,
The Gods were at tea,
Musæ mus*am*,
Eating raspberry jam,
Musa mus*â*,
Made by Cupid's mamma.
Musæ mus*arum*,
Thou "Diva Dearum."
Musis mus*as*,
Said Jove to the lass.
Musæ mus*is*,
Can ambrosia beat this?

Musa follows *mus* in every Latin dictionary, and the words could not be more similar. Is our search ended if we suggest

The substantive face, facies, *makes faces*, facies, in the plural.

Although we are precluded from going through the whole of the declensions, we cannot refrain from proposing "for the use of schools," a model upon which all substantives may be declined in a mode somewhat more agreeable, if not more instructive, than that heretofore adopted.

Exempli Gratiâ.

Musa mus*æ*,
The Gods were at tea,
Musæ mus*am*,
Eating raspberry jam,
Musa mus*â*,
Made by Cupid's mamma,
Musæ mus*arum*,
Thou "Diva Dearum."
Musis mus*as*,
Said Jove to his lass,
Musæ mus*is*,
Can ambrosia beat this?

DECLENSIONS OF NOUNS ADJECTIVE.

Some nouns adjective are declined with three terminations—as a pacha of three tails would be, if that Lewis Carroll was making a punning reference to this book, and that Alice, in looking over her brother's shoulder at his Latin Grammar, mistook *musa* for *mus*?

Acknowledgements

I must record my very grateful thanks to Mr William B. Thompson, Curator of the Notional Collection of Greek and Latin Text Books, at Leeds University. The Collection started as a personal enterprise, and is now thought to be the largest of its kind in the world. Mr Thompson, with great enthusiasm, checked all the relevant Grammars in the Collection for rodent references, and also kindly allowed me open access to browse among the books myself.

I am also grateful to Mr Jeremy Potter, Deputy Keeper of the Eton College Library for checking the *Eton Latin Grammar*, and for referring me on to the National Collection.

Letter to the Editor of Jabberwocky by John M. Shaw[7]

Dear Sir,

Your article on *The Comic Latin Grammar* as a possible candidate for "Alice's Brother's Latin Grammar" (*Jabberwocky* Spring 1975) was especially interesting to us because we recently acquired a "new edition" published in 1843 with a four-page "Advertisement to the second edition".

Yours etc., John M. Shaw

Editorial Note: Mr Shaw, as members will know, is the Curator of the "Childhood in Poetry" Collection at the Florida State University

7 First published in *Jabberwocky*, Vol. 4, No. 4, Autumn 1975, p. 121. [ME, JW]

Library. His letter included a Xerox copy of the title-page, and the frontispiece—which is a caricature of the author Percival Leigh, by John Leech, and signed in the plate "Yours faithfully Paul Prendergast" (the latter was Leigh's pseudonym). The following letter reveals yet another version of the *Grammar*:

Letter to the editor of Jabberwocky by F. E. Dixon[8]

Dear Sir,

Congratulations on your plausible discovery of the source of Alice's mouse. The chief weakness is that the vocative case is dealt with on another page and uses 'magister' as the example.

For the bibliographical enthusiasts it should be reported that *The Comic Latin Grammar* was reprinted as *The Comic Eton Grammar*, bound with *The Comic English Grammar* and *The Comic Cocker; or, Figures for the Million*. The volume has for its main title "Paul Prendergast; or the Comic Schoolmaster. (In three parts.) comprising a new and facetious introduction to the English Language; Arithmetic; and the Classics." There is a frontispiece portrait of Paul Prendergast by Leech. Published by Ward and Lock: No date, but advertisements on endpapers for Albert Smith's works suggest the 1850s.

Yours etc., F. E. Dixon

Letter to the editor of Jabberwocky by William B. Thompson[9]

Dear Sir,

A copy of a *Manual of Latin Grammar* has just come to the National Collection of Greek and Latin Text Books at Leeds University. It has one item in it which may be of interest to you. *Musa* is in fact the type noun for the first declension!

8 First published in *Jabberwocky*, Vol. 4, No. 4, Autumn 1975, p. 121. [ME, JW]

9 First published in *Jabberwocky*, Vol. 4, No. 4, Autumn 1975, pp. 121–22. [ME, JW]

This does not of course in any way alter the findings indicated in your article in *Jabberwocky*, but it does give an interesting and additional antecedent for the use of *musa* in *The Comic Latin Grammar*. The *Manual* we have now is the second edition (1816) and there is no statement of the date of the original edition. It is compiled by John Pye Smith and published by Gale and Fenner in London.

Yours etc., William B. Thompson, Curator

Letter to the editor of Jabberwocky by August A. Imholtz, Jr.[10]

Dear Sir,

In his article "In search of Alice's Brother's Latin Grammar" (*Jabberwocky* Spring 1975), Selwyn Goodacre presented an ingenious solution to the problem of identifying the elusive Latin Grammar; he suggested Carroll might have been making a punning reference to the declension of *musa* ('muse', the word following *mus* in every Latin dictionary) in Percival Leigh's *The Comic Latin Grammar* (1840).

Aside from the fact that *musa* is not declined in the traditional manner in Leigh's book, there is a serious problem about the search for a Latin grammar that has escaped consideration. Every Latin noun has *six* cases: nominative, genitive, dative, accusative, ablative, and vocative. A translation of the ablative case ('by/with/from a mouse') is missing from Alice's list of forms! Carroll was careful; so something is wrong here. The ablative's absence cannot be attributed to its apparent similarity with the vocative case (quantity of the vowel excepted) in the Latin declension, nor

10 First published in *Jabberwocky*, Vol. 6, No. 2, Spring 1977, pp. 59–60. [ME, JW]

to the pre-1870 sequence of cases in the paradigm (nominative, genitive, etc. versus nominative, accusative, etc.).

Greek, however, has no ablative case. The Latin ablative's work is performed by the genitive and dative cases in Greek. Alice's English 'mouse' paradigm would be an accurate translation of the declension of a Greek noun, singular number. The Latin word *musa*, which is Dr Goodacre's suggestion for the paradigm noun in Alice's brother's Latin grammar, is derived from the Greek noun μοῦσα (*moûsa*) 'muse'. In all of the pre-1865 British Greek grammars that I consulted at the Library of Congress[11] μοῦσα is presented as a standard first declension feminine noun in -α. The first declension is, of course almost always learned first, and μοῦσα probably would have been the Greek noun most familiar to the English.

Perhaps in this quasi-introductory passage Lewis Carroll was really punning on the Greek word μοῦσα through the English word 'mouse'. Could he in addition have been alluding to Homer's Epic invocation, albeit midstream, 'Tell me, O Muse'? I am suggesting that if Alice misread 'mouse' for 'muse' it was because she was glancing at the declension

11 A. Scott. *Grammar of the Greek Language*. (London: 1828) pp. 14, 16.

John Snelling Popkin. *A Grammar of the Greek Language with an Appendix originally composed for the College-School at Gloucester* (Cambridge: 1828) p. 4.

Greek Grammar for the Use of Schools. Translated from the German of V. Christian Fred. Rost (London: 1829) p. 96.

A Grammar of the Greek Language with an Appendix: originally composed for the College-School at Gloucester, and now republished with additions [by John Snelling Popkin]. (Cambridge: 1828) p. 4.

Rev. Samuel Connor. *The Elements of Greek Grammar*. (London: 1832) p. 10.

A Copious Greek Grammar by Augustus Matthiae, translated from the German by Edward Valentine Blomfield, M. A. (London: 1832) p. 115.

of μοῦσα in a standard Greek grammar and not at the *musa* verse in a comic Latin grammar. *Mouse* more closely resembles μοῦσα than *musa*.[12] And, when one thinks about it, would not a Greek grammar be especially appropriate for Alice's brother?

Yours etc., August A. Imholtz, Jr.

The Rudiments of Greek Grammar as used in the Royal College at Eton. (London: 1843) p. 8.

Dr Philip Buttmann's Intermediate or Larger Greek Grammar translated from the German by Dr Charles Supf. (London: 1848) p. 52.

William Edward Jelf. *Grammar of the Greek Language*. (Oxford: 1861) p. 75.

Hans Claude Hamilton. *A Grammar of the Greek Language*. (London: 1864, 3rd edition) p. 6. [AAIJ]

12 For those who are interested in such things 'mouse' is an anagram of "O Muse". [AAIJ]

Glōssārium

acta -ae *f.* sea-shore
adeps -ipis *m. f.* fat, lard, suet
adorior -ortus *4 dep.* attack
adrōdō -sī -sum *3* gnaw, nibble
agger -eris *m.* ridge, mound, bank
alapa -ae *f.* slap, box (on the ear)
alburnus -ī *m.* a white fish, whiting
altercor -ātus *1 dep.* argue, quarrel
alūta -ae *f.* soft leather
amiculum -ī *n.* mantle, cloak
ampulla -ae *f.* bottle
anas -atis *f.* duck
ancilla -ae *f. here:* housemaid
anguilla -ae *f.* eel
anus -ūs *f.* old woman
appāritor -ōris *m.* clerk, officer of the court
armārium -iī *n.* cupboard
articulus -ī *m.* joint; point of time, critical moment
artē *adv.* tightly, closely, firmly
ascia -ae *f.* axe
assus -a -um *a.* roasted; dry
ātrāmentum -ī *n.* ink; blacking
aucupor -ātus *1 dep.* hunt, catch birds
aula -ae *f.* yard
aulaeum -ī *n.* curtain
aureōrum dēcoctiō mālōrum orange marmalade
barō -ōnis *m.* baron; **Barō Cordium** Knave of Hearts
bōlētus -ī *m.* mushroom
bulbus -ī *m.* bulb, onion
caballus -ī *m.* carthorse
cachinnō -āvī -ātum *1* laugh
calceus -ī *m.* shoe
calx -cis[1] *f.* heel
calx -cis[2] *f.* limestone, chalk
camīnus -ī *m.* stove, furnace
cancellus -ī *m.* lattice, grating, grill
cancer -crī *m.* crab
capillāmentum -ī *n.* wig
carbaseus -a -um *a.* made of linen, flax
carduēlis -is *f.* goldfinch, *here:* canary
carduus -ī *m.* thistle
carnifex -ficis *m.* executioner

catīnus -ī *m.* bowl, dish
catulus -ī *m.* puppy
caudex -icis *m.* trunk; blockhead
cavia -ae *f.* guinea-pig
cerasus -ī *f.* cherry
cerebellum -ī *n.* brain
cernuus -a -um *a.* head foremost
cerrītus -a -um *a.* frenzied, raving mad
cētus -ī *m.* whale; porpoise
chartae lūsōriae pack of cards
chrȳsallis -idis *f.* pupa, chrysalis
cirrus -ī *m.* curl
cistellula -ae *f.* small box
clāva -ae *f.* club
clāvis -is *f.* key
clāvus -ī *m.* tiller, helm
clūnis -is *m. f.* hind quarters, buttocks
cochlea -ae *f.* snail
cochlear -āris *n.* spoon
columbus -ī *m.* male pigeon
cōmis -is -e *a.* kind, polite
conciliābulum -ī *n.* assembly place; courtroom
conger -grī *m.* conger-eel
cōnsiliārius -iī *m.* adviser, counsellor; *here:* juror
contumēlia -ae *f.* insult, affront
cortīna -ae *f.* cauldron, kettle
corvus -ī *m.* raven
crepitus -ūs *m.* pattering
crispus -a -um *a.* curly; curly-haired
crustum -ī *n.* cake, pastry
cubitum -ī *n.* elbow
culmus -ī *m.* stem, straw
cunīculus -ī *m.* rabbit
cuppēdium -iī *n.* sweetmeat, toffy, comfit
Cursus Comitiālis Caucus-race
cydōnium -iī *n.* quince
dēlābor -lāpsus *3 dep.* fall
dēversōrium -iī *n.* lodging-house
ducissa -ae *f.* duchess
ēmissārium -iī *n.* outlet; **fūmī ēmissārium**: chimney
ērīnāceus -ī *m.* hedgehog
ērūca -ae *f.* caterpillar
facētia -ae *f.* cleverness; joke
famulus -ī *m.* servant, footman
fatuus -a -um *a.* foolish, idiotic
fax facis *f.* torch; **fax caelestis**: sky-rocket
Fēlēs Cestriāna Cheshire Cat
ferculum -ī *n.* tray, dish
ferīna -ae *f.* flesh, game
flābellum -ī *n.* fan
flāgitō -āvī -ātum *1* demand
foris -is *f.* door
frustum -ī *n.* bit, piece (of food)
fūnis -is *m.* rope
furcilla -ae *f.* fork
gannītus -ūs *m.* whimper, yelp
gerulus -ī *m.* carrier, porter
glīs -īris *m.* dormouse
grunniō -īvī -ītum *4* grunt
grūs gruis *f.* crane
grȳps -is *m.* gryphon
haedīnus -a -um *a.* of a kid
hālitus -ūs *m.* breath
Hastivibrāx -ācis *m.* Shakespeare
hauriō -sī -stum *4* drink
holus -eris *n.* vegetable
illinō -lēvī -litum *3* smear
impetibilis -is -e *a.* unbearable, intolerable
impraesentiārum *adv.* under current circumstances
increpō -uī -itum *1* chide, scold

indigeō -uī *2* require; lack
īnsulsus -a -um *a.* dull, boring; stupid
intersistō -stitī *3* pause
intueor -itus *2 dep.* look at, watch, inspect
irrigō -āvī -ātum *1* flood, drench
lacticīnium -iī *n. here:* custard
lacūnar -āris *n.* ceiling
lapillus -ī *m.* pebble
lātrātus -ūs *m.* barking
lebēs -ētis *m.* cauldron
lingulāca -ae *f.* sole (a fish)
līra -ae *f.* ridge
līs lītis *f.* lawsuit
locusta -ae *f.* lobster
lūgubris -is -e *a.* sorrowful, melancholy
lūsiō pilae et malleī croquet
manica -ae *f.* glove
mentum -ī *n.* chin
metallum -ī *n.* mine; mineral, metal
mīca -ae *f.* crumb
micō -uī *1* gleam, twinkle
mōrōsus -a -um *a.* hard to please, sulky
mūscipula -ae *f.* mousetrap
mussitō -āvī -ātum *1* mutter
nardum -ī *n.* nard-oil, *here:* ointment
necopīnātius *adv.* "curiouser"
nīdulor -ātus *1 dep.* build a nest
nō nāvī *1* swim
nōdus -ī *m.* knot
nūndinum -ī *n.* a period of eight days; *here:* week
obserō -āvī -ātum *1* shut, bar, block
obtūrāmentum -ī *n.* plug, cork
ōlla -ae *f.* jar, pot
opperior -tus *4 dep.* wait, await
opprobrium -iī *n.* reproach, insult, taunt
orca -ae *f. here:* bowl, globe
ōscitō -āvī *1* gape; yawn
ostrea -ae *f.* oyster
pāla -ae *f.* spade
palmula -ae *f.* oar
palpebra -ae *f.* eyelid
palpitō -āvī *1* beat, pulsate
pāpiliō -ōnis *m.* butterfly
parcus -a -um *a.* stingy
pardus -ī *m.* panther
patella -ae *f.* dish, plate, saucer
paxillus -ī *m.* peg
pedisequus -ī *m.* manservant, footman
pēnicillus -ī *m.* paint-brush
phōca -ae *f.* seal
phoenīcopterus -ī *m.* flamingo
pīca -ae *f.* magpie
placenta -ae *f.* cake
plaustrum -ī *n.* waggon, cart
pluteus -ī *m.* book-shelf
pōculum -ī *n.* cup
pōlypus -ī *m.* octopus
praestōlor -ātus *1 dep.* wait, await
pristis -is *f.* a large fish, *here:* shark
psittacus -ī *m.* parrot, lory
pugillārēs -ium *m. pl.* note-book
puteus -ī *m.* well
pyxis -idis *f.* small box
quassō -āvī -ātum *1* shake
quatiō — quassum *3* shake
rāna -ae *f.* frog
rānunculus -ī *m.* buttercup
rēpō -sī *3* creep, crawl
reus -ī *m.* defendant
rhombus -ī *m.* diamond (shape)
rictus -ūs *m.* open mouth; **rictum dīdūcere**: to grin

rīpa -ae *f.* bank
rōstrum -ī *n.* beak; snout
rotula -ae *f.* small wheel
sabulum -ī *n.* coarse sand, gravel
saccharum -ī *n.* sugar
saepēs -is *f.* hedge, fence
saeptum -ī *n.* enclosure, frame, box
sagīnō -āvī -ātum *1* fatten
sartāgō -inis *f.* frying-pan
scriblīta -ae *f.* tart
scrīnium -iī *n.* container, receptacle; *here:* writing-desk
scrūtor -ātus *1 dep.* examine
scutula -ae *f.* (small, shallow) dish
sēbum -ī *n.* fat, suet
sententia -ae *f.* moral (of a story)
sera -ae *f.* bar; **māchinātiō serārum**: lock (of door)
sēricus -a -um *a.* of silk
sertum -ī *n.* garland, daisy-chain
sēta -ae *f.* stiff hair, *here:* whisker
sīlus -a -um *a.* snub-nosed
sināpi -is *n.* mustard
singultus -ūs *m.* sob, sobbing
solea -ae *f.* sandal, *here:* shoe, boot; sole (a fish)
sollerter *adv.* skilfully, cleverly
sōns sontis *a.* guilty
sōpītus -a -um *a.* asleep
squāma -ae *f.* scale (of fish, reptile)
stāgnum -ī *n.* pool
stēlliō -ōnis *m.* lizard
sternuō -uī *3* sneeze
sternūtō -āvī *1* sneeze (repeatedly)
stīpō -āvī -ātum *1* crowd, surround
strāgulum -ī *n.* blanket, rug
strīdō -ī *3* squeak
strix strigis *f.* owl
subūcula -ae *f.* under-tunic, *here:* waistcoat
sūcus -ī *m.* liquid, juice, sap
sūdum -ī *n.* clear bright sky, fine weather
sulcus -ī *m.* furrow
tabācum -ī *n.* tobacco
tabula -ae *f.* panel, painting
tēgula -ae *f.* roof-tile
tegumen -inis *n.* cover; **tegumen digitī**: thimble
tēlescopium -iī *n.* telescope
testūdō -inis *f.* tortoise, turtle; **Testūdō Subditīva**: Mock-Turtle
thea -ae *f.* tea
torpeō -uī *2* to be sluggish, languish
tortus -ūs *m.* coil
tugurium -iī *n.* hut; **tugurium balneārium**: bathing-machine
tulipa -ae *f.* tulip
urceolus -ī *m.* small pitcher, jug
vehes -is *f.* cart-load, barrowful
vellicō -āvī -ātum *1* pinch
vēnāticus -a -um *a.* for hunting
vepris -is *m.* thorn-bush
vertīgō -inis *f.* whirling, spinning; dizziness
vēscor *3 dep.* eat
vespertiliō -ōnis *m.* bat
via ferrāta railway
vīcīnia -ae *f.* neighbourhood
vīlicus -ī *m.* manager, overseer, master
villus -ī *m.* hair, fur
vitrea oculāria spectacles
vīverra -ae *f.* ferret

ALSO AVAILABLE FROM **EVERTYPE**

SOURCES

Alice's Adventures in Wonderland: The Evertype definitive edition,
by Lewis Carroll, 2016

Alice's Adventures in Wonderland, illus. June Lornie, 2013

Alice's Adventures in Wonderland, illus. Mathew Staunton, 2015

Alice's Adventures in Wonderland, illus. Harry Furniss, 2016

Alice's Adventures in Wonderland, illus. J. Michael Rolen, 2017

Through the Looking-Glass and What Alice Found There,
by Lewis Carroll, 2009

The Nursery "Alice", by Lewis Carroll, 2015

Alice's Adventures under Ground, by Lewis Carroll, 2009

The Hunting of the Snark, by Lewis Carroll, 2010

SEQUELS

A New Alice in the Old Wonderland, by Anna Matlack Richards, 2009

New Adventures of Alice, by John Rae, 2010

Alice Through the Needle's Eye, by Gilbert Adair, 2012

Wonderland Revisited and the Games Alice Played There,
by Keith Sheppard, 2009

Alice and the Boy who Slew the Jabberwock,
by Allan William Parkes, 2016

SPELLING

Alice's Adventures in Wonderland,
Retold in words of one Syllable by Mrs J. C. Gorham, 2010

𐐈𐑊𐐮𐑅'𐑆 𐐈𐐼𐑂𐐯𐑌𐐽𐐲𐑉𐑆 𐐮𐑌 𐐎𐐲𐑌𐐼𐐲𐑉𐑊𐐰𐑌𐐼 (Alis'z Advenchurz in
Wundurland), *Alice* printed in the Deseret Alphabet, 2014

𐐜 𐐐𐐲𐑌𐐻𐐮𐑍 𐐲𐑂 𐑄 𐑅𐑌𐐪𐑉𐐿 (Dh Hunting uv dh Snark),
The Hunting of the Snark printed in the Deseret Alphabet, 2016

[illegible] (Thru dh Lüking-Glas and Hwut Alis Fawnd Dher), *Looking-Glass* printed in the Deseret Alphabet, 2016

Alice's Adventures in Wonderland, *Alice* printed in Dyslexic-Friendly fonts, 2015

Alice's Adventures in a Dyslexic Wonderland, *Alice* printed in a font that simulates Dyslexia, 2015

[illegible] (Ælɪsɛz Ædvɛ́ntʃuɹz ɪn Wʌ́nduɹlænd), *Alice* printed in the Ewellic Alphabet, 2013

'Ælɪsɪz Əd'ventʃəz ɪn 'Wʌndəˌlænd, *Alice* printed in the International Phonetic Alphabet, 2014

Alis'z Advnčrz in Wunḍland, *Alice* printed in the Ñspel orthography, 2015

[illegible], *Alice* printed in the Nyctographic Square Alphabet, 2011

Alice's Adventures in Wonderland, *Alice* printed in Pitman New Era Shorthand, 2018

Alice's Adventures in Wonderland, *Alice* printed in QR Codes, 2018

[illegible] (Alɪs'əz ədvɛntjuːrz ɪn Wʌndərlænd), *Alice* printed in the Shaw Alphabet, 2013

ALISIZ ADVENCƎRZ IN WUNDRLAND, *Alice* printed in the Unifon Alphabet, 2014

[illegible] (Aliz kalandjai Csodaországban), The Hungarian *Alice* printed in Old Hungarian script, tr. Anikó Szilágyi, 2016

Scholarship

Reflecting on Alice: A Textual Commentary on *Through the Looking-Glass*, by Selwyn Goodacre, 2016

Elucidating Alice: A Textual Commentary on *Alice's Adventures in Wonderland*, by Selwyn Goodacre, 2015

Behind the Looking-Glass: Reflections on the Myth of Lewis Carroll, by Sherry L. Ackerman, 2012

Selections from the Lewis Carroll Collection of Victoria J. Sewell, compiled by Byron W. Sewell, 2014

SOCIAL COMMENTARY

Clara in Blunderland, by Caroline Lewis, 2010

Lost in Blunderland: The further adventures of Clara, by Caroline Lewis, 2010

John Bull's Adventures in the Fiscal Wonderland, by Charles Geake, 2010

The Westminster Alice, by H. H. Munro (Saki), 2017

Alice in Blunderland: An Iridescent Dream, by John Kendrick Bangs, 2010

SIMULATIONS

Davy and the Goblin, by Charles Edward Carryl, 2010

The Admiral's Caravan, by Charles Edward Carryl, 2010

Gladys in Grammarland, by Audrey Mayhew Allen, 2010

Alice's Adventures in Pictureland, by Florence Adèle Evans, 2011

Folly in Fairyland, by Carolyn Wells, 2016

Rollo in Emblemland, by J. K. Bangs & C. R. Macauley, 2010

Phyllis in Piskie-land, by J. Henry Harris, 2012

Alice in Beeland, by Lillian Elizabeth Roy, 2012

Eileen's Adventures in Wordland, by Zillah K. Macdonald, 2010

Alice and the Time Machine, by Victor Fet, 2016

Алиса и Машина Времени (Alisa i Mashina Vremeni), *Alice and the Time Machine* in Russian, tr. Victor Fet, 2016

SEWELLIANA

Sun-hee's Adventures Under the Land of Morning Calm, by Victoria J. Sewell & Byron W. Sewell, 2016

선희의 조용한 아침의 나라 모험기 (Seonhuiui Joyonghan Achim-ui Nala Moheomgi), *Sun-hee* in Korean, tr. Miyeong Kang, 2018

Alix's Adventures in Wonderland:
Lewis Carroll's Nightmare, by Byron W. Sewell, 2011

Áloþk's Adventures in Goatland, by Byron W. Sewell, 2011

Alice's Bad Hair Day in Wonderland, by Byron W. Sewell, 2012

The Carrollian Tales of Inspector Spectre, by Byron W. Sewell, 2011

The Annotated Alice in Nurseryland, by Byron W. Sewell, 2016

The Haunting of the Snarkasbord, by Alison Tannenbaum,
Byron W. Sewell, Charlie Lovett, & August A. Imholtz, Jr, 2012

Snarkmaster, by Byron W. Sewell, 2012

In the Boojum Forest, by Byron W. Sewell, 2014

Murder by Boojum, by Byron W. Sewell, 2014

Close Encounters of the Snarkian Kind, by Byron W. Sewell, 2016

TRANSLATIONS

Кайкалдыҥ Јеринде Алисала болгон учуралдар (Kaykaldıñ Cerinde
Alisala bolgon uçuraldar), *Alice* in Altai, tr. Küler Tepukov, 2016

Alice's Adventures in An Appalachian Wonderland,
Alice in Appalachian English, tr. Byron & Victoria Sewell, 2012

Սնարքի Որսը (Snark'i Orsě),
The Hunting of the Snark in Eastern Armenian,
tr. Alexander Kalantaryan & Artak Kalantaryan, forthcoming

Ալիս Հրաշալիքներու Աշխարհին Մէջ (Alis Hrashalik'neru Ashkharhin Mēch),
Alice in Western Armenian, tr. Yervant Gobelean, forthcoming

Patimatli ali Alice tu Vãsilia ti Ciudii,
Alice in Aromanian, tr. Mariana Bara, 2015

Әлисәнең Сәйерстандағы мажаралары (Älisäneñ Säyerstandağı
majaraları), *Alice* in Bashkir, tr. Güzäl Sitdykova, 2017

Алесіны прыгоды ў Цудазем'і (Alesiny pryhody
u Tsudazem'i), *Alice* in Belarusian, tr. Max Ščur, 2016

На тым баку Люстра і што там напаткала Алесю
(Na tym baku Liustra i shto tam napatkala Alesiu),
Looking-Glass in Belarusian, tr. Max Ščur, 2016

Снаркаловы (Snarkalovy),
The Hunting of the Snark in Belarusian, tr. Max Ščur, forthcoming

Crystal's Adventures in A Cockney Wonderland,
Alice in Cockney Rhyming Slang, tr. Charlie Lovett, 2015

Aventurs Alys in Pow an Anethow,
Alice in Cornish, tr. Nicholas Williams, 2015

Alice's Ventures in Wunderland,
Alice in Cornu-English, tr. Alan M. Kent, 2015

Maries Hændelser i Vidunderlandet, *Alice* in Danish, tr. D.G., forthcoming

آلیس در سرزمین عجایب (Âlis dar Sarzamin-e Ajâyeb),
Alice in Dari, tr. Rahman Arman, 2015

Åventyrą Alice i Underlandą,
Alice in Elfdalian, tr. Inga-Britt Petersson, 2018

La Aventuroj de Alicio en Mirlando,
Alice in Esperanto, tr. E. L. Kearney (1910), 2009

La Aventuroj de Alico en Mirlando,
Alice in Esperanto, tr. Donald Broadribb, 2012

Trans la Spegulo kaj kion Alico trovis tie,
Looking-Glass in Esperanto, tr. Donald Broadribb, 2012

Les Aventures d'Alice au pays des merveilles,
Alice in French, tr. Henri Bué, 2015

Les Aventures d'Alice au pays des merveilles,
Alice in French, tr. Henri Bué, illus. Mathew Staunton, 2015

Alisanın Gezisi Şaşilacek Yerdä,
Alice in Gagauz, tr. Ilya Karaseni, forthcoming

ელისის თავგადასავალი საოცრებათა ქვეყანაში
(Elisis t'avgadasavali saoc'rebat'a k'veqanaši),
Alice in Georgian, tr. Giorgi Gokieli, 2016

Alice's Abenteuer im Wunderland,
Alice in German, tr. Antonie Zimmermann, 2010

Die Lissel ehr Erlebnisse im Wunnerland,
Alice in Palantine German, tr. Franz Schlosser, 2013

Der Alice ihre Obmteier im Wunderlaund,
Alice in Viennese German, tr. Hans Werner Sokop, 2012

Balþos Gadedeis Aþalhaidais in Sildaleikalanda,
Alice in Gothic, tr. David Alexander Carlton, 2015

Nā Hana Kupanaha a ʻĀleka ma ka ʻĀina Kamahaʻo,
Alice in Hawaiian, tr. R. Keao NeSmith, 2017

Ma Loko o ke Aniani Kū a me ka Mea i Loaʻa iā ʻĀleka ma Laila, *Looking-Glass* in Hawaiian, tr. R. Keao NeSmith, 2017

Aliz kalandjai Csodaországban,
Alice in Hungarian, tr. Anikó Szilágyi, 2013

Ævintýri Lísu í Undralandi, *Alice* in Icelandic, tr. Þórarinn Eldjárn, 2013

Le Aventuras de Alice in le Pais del Meravilias,
Alice in Interlingua, tr. Rodrigo Guerra, 2018

Eachtra Eibhlíse i dTír na nIontas,
Alice in Irish, tr. Pádraig Ó Cadhla (1922), 2015

Eachtraí Eilíse i dTír na nIontas, *Alice* in Irish, tr. Nicholas Williams, 2007

Lastall den Scáthán agus a bhFuair Eilís Ann Roimpi,
Looking-Glass in Irish, tr. Nicholas Williams, 2009

Le Avventure di Alice nel Paese delle Meraviglie,
Alice in Italian, tr. Teodorico Pietrocòla Rossetti, 2010

Alis Advencha ina Wandalan,
Alice in Jamaican Creole, tr. Tamirand Nnena De Lisser, 2016

L's Aventuthes d'Alice en Èmèrvil'lie,
Alice in Jèrriais, tr. Geraint Williams, 2012

L'Travèrs du Mitheux et chein qu'Alice y dêmuchit,
Looking-Glass in Jèrriais, tr. Geraint Williams, 2012

Әлисәнің ғажайып елдегі басынан кешкендері (Älïsäniñ ğajayıp eldegi basınan keşkenderi), *Alice* in Kazakh, tr. Fatima Moldashova, 2016

Алисаның Хайхастар Чирінзер чорығы (Alïsanıñ Hayhastar Çirinzer çorığı), *Alice* in Khakas, tr. Maria Çertykova, 2017

Алисакӧд Шемӧсмуын лоӧмторъяс (Alisaköd Šemösmuyn loömtor″ias),
Alice in Komi-Zyrian, tr. Evgenii Tsypanov & Elena Eltsova, 2018

Алисанын Кызыктар Өлкөсүндөгү укмуштуу окуялары
(Alisanın Kızıktar Ölkösündögü ukmuştuu okuyaları),
Alice in Kyrgyz, tr. Aida Egemberdieva, 2016

Las Aventuras de Alisia en el Paiz de las Maraviyas,
Alice in Ladino, tr. Avner Perez, 2016

לאס אב׳ינטוראס די אליסייה אין איל פאאיס די לאס מאראב׳ילייאס
(Las Aventuras de Alisia en el Paiz de las Maraviyas),
Alice in Ladino, tr. Avner Perez, 2016

Alisis pīdzeivuojumi Breinumu zemē,
Alice in Latgalian, tr. Evika Muizniece, 2015

Alicia in Terrā Mīrābilī, *Alice* in Latin, tr. Clive Harcourt Carruthers, 2011

Alicia in Terrā Mīrābilī: Ēditiō Bilinguis Latīna et Anglica,
Alice in Latin, bilingual edition, tr. Clive Harcourt Carruthers, 2018

Aliciae per Speculum Trānsitus (Quaeque Ibi Invēnit),
Looking-Glass in Latin, tr. Clive Harcourt Carruthers, Forthcoming

Alisa-ney Aventuras in Divalanda, *Alice* in Lingua de Planeta (Lidepla), tr.
Anastasia Lysenko & Dmitry Ivanov, 2014

La aventuras de Alisia en la pais de mervelias,
Alice in Lingua Franca Nova, tr. Simon Davies, 2012

Alice ẹhr Ẹventüürn in't Wunnerland,
Alice in Low German, tr. Reinhard F. Hahn, 2010

Contoyrtyssyn Ealish ayns Çheer ny Yindyssyn,
Alice in Manx, tr. Brian Stowell, 2010

Ko Ngā Takahanga i a Ārihi i Te Ao Mīharo,
Alice in Māori, tr. Tom Roa, 2015

Dee Erläwnisse von Alice em Wundalaund,
Alice in Mennonite Low German, tr. Jack Thiessen, 2012

Auanturiou adelis en Bro an Marthou,
Alice in Middle Breton, tr. Herve Le Bihan & Herve Kerrain, Forthcoming

The Aventures of Alys in Wondyr Lond,
Alice in Middle English, tr. Brian S. Lee, 2013

ALSO AVAILABLE FROM **EVERTYPE**

L'Avventure d'Alice 'int' 'o Paese d' 'e Maraveglie,
Alice in Neapolitan, tr. Roberto D'Ajello, 2016

Attravierzo 'o specchio e cchello c'Alice ce truvaie,
Looking-Glass in Neapolitan, tr. Roberto D'Ajello, 2018

L'Aventuros de Alis in Marvoland, *Alice* in Neo, tr. Ralph Midgley, 2013

Elises Eventyr i Undernes Land: den første norske *Alice:*
Elise's Adventures in the Land of Wonders: the first Norwegian *Alice,*
Alice in Norwegian, ed. & tr. Anne Kristin Lande, 2018

Alice sine opplevingar i Eventyrlandet,
Alice in Nynorsk, tr. Sigrun Anny Røssbø, 2018

Æðelgýðe Ellendæda on Wundorlande,
Alice in Old English, tr. Peter S. Baker, 2015

La geste d'Aalis el Païs de Merveilles,
Alice in Old French, tr. May Plouzeau, 2017

Alitjilu Palyantja Tjuta Ngura Tjukurmankuntjala (Alitji's Adventures in Dreamland), *Alice* in Pitjantjatjara, tr. Nancy Sheppard, 2018

Alitji's Adventures in Dreamland: An Aboriginal tale inspired by *Alice's Adventures in Wonderland*, adapted by Nancy Sheppard, 2018

Alice Contada aos Mais Pequenos,
The Nursery "Alice" in Portuguese, tr., Rogério Miguel Puga, 2015

Сыр Алиса Попэя кэ Чюдэнгири Пхув (Sir Alisa Popeja ke Čudengiri Phuv), *Alice* in North Russian Romani, tr. Viktor Shapoval, 2018

Приключения Алисы в Стране Чудес (Prikliucheniia Alisy v Strane Chudes), *Alice* in Russian, tr. Yury Nesterenko, 2018

Приключения Алисы в Стране Чудес (Prikliucheniia Alisy v Strane Chudes), *Alice* in Russian, tr. Nina Demurova, 2018

Соня въ царствѣ дива (Sonia v tsarstvie diva): Sonja in a Kingdom of Wonder, *Alice* in facsimile of the 1879 first Russian translation, 2013

Соня в царстве дива (Sonia v tsarstve diva),
An edition of the first Russian *Alice* in modern orthography, 2017

Охота на Снарка (Okhota na Snarka),
The Hunting of the Snark in Russian, tr. Victor Fet, 2016

Also available from Evertype

Ia Aventures as Alice in Daumsenland,
Alice in Sambahsa, tr. Olivier Simon, 2013

Ocolo id Specule ed Quo Alice Trohv Ter,
Looking-Glass in Sambahsa, tr. Olivier Simon, 2016

'O Tāfaoga a 'Ālise i le Nu'u o Mea Ofoofogia,
Alice in Samoan, tr. Luafata Simanu-Klutz, 2013

Eachdraidh Ealasaid ann an Tìr nan Iongantas,
Alice in Scottish Gaelic, tr. Moray Watson, 2012

Alice's Adventchers in Wunderland,
Alice in Scouse, tr. Marvin R. Sumner, 2015

Mbalango wa Alice eTikweni ra Swihlamariso,
Alice in Shangani, tr. Peniah Mabaso & Steyn Khesani Madlome, 2015

Ahlice's Aveenturs in Wunderlaant,
Alice in Border Scots, tr. Cameron Halfpenny, 2015

Alice's Mishanters in e Land o Farlies,
Alice in Caithness Scots, tr. Catherine Byrne, 2014

Alice's Adventirs in Wunnerlaun,
Alice in Glaswegian Scots, tr. Thomas Clark, 2014

Ailice's Anters in Ferlielann,
Alice in North-East Scots (Doric), tr. Derrick McClure, 2012

Alice's Adventirs in Wonderlaand,
Alice in Shetland Scots, tr. Laureen Johnson, 2012

Ailice's Àventurs in Wunnerland,
Alice in Southeast Central Scots, tr. Sandy Fleemin, 2011

Ailis's Anterins i the Laun o Ferlies,
Alice in Synthetic Scots, tr. Andrew McCallum, 2013

Alice's Carrànts in Wunnerlan,
Alice in Ulster Scots, tr. Anne Morrison-Smyth, 2013

Alison's Jants in Ferlieland,
Alice in West-Central Scots, tr. James Andrew Begg, 2014

Alice muNyika yeMashiripiti,
Alice in Shona, tr. Shumirai Nyota & Tsitsi Nyoni, 2015

Алисаның қайғаллығ Черинде полған чоруқтары (Alisanıñ qayğallığ Çerinde polğan çoruqtarı), *Alice* in Shor, tr. Liubov′ Arbaçakova, 2017

Alis bu Cëlmo dac Cojube w dat Tantelat,
Alice in Ṣurayt, tr. Jan Beṭ-Ṣawoce, 2015

Alisi Ndani ya Nchi ya Ajabu, *Alice* in Swahili, tr. Ida Hadjuvayanis, 2015

Alices Äventyr i Sagolandet, *Alice* in Swedish, tr. Emily Nonnen, 2010

ʻAlisi ʻi he Fonua ʻo e Fakaofoʹ,
Alice in Tongan, tr. Siutāula Cocker & Telesia Kalavite, 2014

De Aventure Alisu in Mirvizilànd,
Alice in Uropi, tr. Bertrand Carette & Joël Landais, 2018

Ventürs jiela Lälid in Stunalän, *Alice* in Volapük,
tr. Ralph Midgley, forthcoming

Lès-avirètes da Alice ô payis dès mèrvèyes,
Alice in Walloon, tr. Jean-Luc Fauconnier, 2012

Lès paskéyes d'Alice è payis dès mèrvèyes,
Alice in Central Walloon, tr. Bernard Louis, 2017

Anturiaethau Alys yng Ngwlad Hud, *Alice* in Welsh, tr. Selyf Roberts, 2010

I Avventur de Alìs ind el Paes di Meravili,
Alice in Western Lombard, tr. GianPietro Gallinelli, 2015

U-Alisi Kwilizwe Lemimangaliso,
Alice in Xhosa, tr. Mhlobo Jadezweni, forthcoming

Di Avantures fun Alis in Vunderland,
Alice in Yiddish, tr. Joan Braman, 2015

Alises Avantures in Vunderland, *Alice* in Yiddish, tr. Adina Bar-El, 2018

אַליסעס אַוואַנטורעס אין וווּנדערלאַנד (Alises Avantures in Vunderland),
Alice in Yiddish, tr. Adina Bar-El, 2018

Insumansumane Zika-Alice,
Alice in Zimbabwean Ndebele, tr. Dion Nkomo, 2015

U-Alice Ezweni Lezimanga, *Alice* in Zulu, tr. Bhekinkosi Ntuli, 2014